目次

科学史・科学哲学入

第Ⅰ部

第1章　科学・哲学・神学……11
1　科学を準備したもの　11
2　科学のなかのヴェクトル　21
3　科学の反省　38
4　未来への展望　49
第2章　キリスト教の自然観と科学……59
1　キリスト教と近代合理主義　60
2　キリスト教からの科学の「離脱」　66
3　現代への示唆　75

第Ⅱ部

第3章　科学的知識と信仰との異同……87

植木屋の譬え話　87
自然科学での実際の話　89
誰が素粒子を見たか　91
「見える」ことが「存在する」ことか　94
「……を見る」と「……として見る」　99
「……として見る」の基礎構造　102
「ことば」による把握　105
「……を見る」ことと「……を存在させる」こと　110
科学は何によって造られるか　115
自然科学的理論の「流行」　123
簡潔性と整合性　129
価値の世界との「整合性」　138

「心」の私秘性　146
「こころ」の存在　149
こころと素粒子　155
自分の「こころ」と他人　159
人間の「こころ」の特殊性　165
こころの普遍化への二つの方法　169

あとがき……181
学術文庫のためのあとがき……185

科学史・科学哲学入門

第I部

第1章　科学・哲学・神学

1　科学を準備したもの

世界の三大発明と言える製紙、火薬、羅針盤は、いずれも中国大陸に発する。機械的な構造を備えた時計の発明も、ヨーロッパに先立つこと数世紀、すでに中国にあったと見られている。こうしていわゆる文明の利器のなかでも基本的なものは、むしろそのほとんどが、アジアの所産であった。

一方、そのような初期文明の「利器」において、アジア、とりわけ中国に先んじられていたヨーロッパが、そうした「後進地域」の地位から脱却し、世界史のなかに、文字どおりの主導権を掌握し、確立することができたのは、科学によってであった。

それゆえ、ヨーロッパ、なかんずく「西欧」《the West》という術語によって規定される時間的・空間的な概念は、その内包的意味合いのなかに、「科学」を含まざるをえない必然性を備えていると言ってもよい。

もちろん、西欧中心的な史眼を離れて、世界史をグローバルに見渡せば、「西欧」という空間的な文化圏も、「近代」という時間的な文化圏も、悠久な時間と空間のなかでのわずかな点存在にすぎないことは確かである。しかしながらまた、「西欧」と「近代」とは、現在のわれわれ――それもまた、グローバルな視点から見れば、きわめて小さな点存在であるにもかかわらず、人間のつねとして、ほとんど論理的に、現在のわれわれが、そこからけっして離脱できない性格のものである――に、歴史的な意味で時空的に接しているという理由によって、もっとも重要視せざるをえないとも言える。それが、われわれ人類の未来への見取図にも連続的に連なる以上、われわれは、なにが「西欧」を生み、なにが「近代」を規定し、なにが「科学」を形成したか、そして、なにがこの三者を、世界史の舞台へ主役として登場させたかを振り返ることが、まず行なうべき作業になろう。

それは、歴史に教えを乞う、という姿勢ではなく、むしろ、端的に、そうした分析が、結局、われわれ自身のなかにあるものを暴き出すからこそ、行なわなければならないのである。それと同時に、そうした分析は、従来から築かれている「科学」に対するドグマティックな解釈の誤り、あるいは、少なくとも誤解を招きやすい了解、つまり、科学が人類にとって、普遍的であり、絶対的である、という発想を覆《くつがえ》し、それが、「西欧」という空間、「近代」という時間によって、きわめてはっきりと規定されたものであることを、明らかにしてくれると思う。

したがって、ここでの私の目的は、科学のもつそうした時空的規定性、限界を明確にし、それに従って、「現代」、「未来」、「非西欧」という、科学を規定する以外の時空間のなかで、はたしてその限界はどのような意味をもち、どのように破られるべきものであるか、という見通しを探ろうとするものである。

では、「西欧・近代・科学」を準備したものは何であったか。

ギリシアの伝統

科学《science》という語の原型は、ラテン語の「知識」を意味する《scientia》である。実は、「科学」の前身として、「科学」を導いたヨーロッパの学問は、元来すべて、この「知」に関係している。「哲学」は、言うまでもなく、「知を愛する」《philo-sophia》からきており、「数学」《mathematics》もまた、「学ばれた知識」を意味する《mathēmata》に由来している。このようなわずかな語源的考証からでも、「科学」を準備したものが、ギリシア・ローマのいわゆる古典時代の概念であったことは、容易に推察できよう。

さて、ギリシアは、多様性の混淆《こんこう》という点で、日本文化の特徴に類似するところをもっている。しかし、その混淆のなかから、ギリシアは、ギリシア独自の、自然に対する知的探究の視角を築いたことが、ギリシア文化のもっとも大きな特徴と言ってよい。その視角とは、概括的に言えば、自然現象を、自然現象として、理論的、体系的に説明しようとする態度、ということになろうか。

もちろん、東洋をはじめ、ギリシア以外の文化圏にも、自然現象に対する知的興味や、自然現象を説明するための体系の構築を目指す試みが、なかったわけではない。たとえば、古代中国における儒学、とりわけ易学には、かなりはっきりと、そのような試みの萌芽《ほうが》を見てとることができる。太極、陰陽、五行などの概念を中心に、やがて朱子学のなかでもっとも詳細に理論化されていく易学のなかには、万物化生、すなわち、自然現象のさまざまな多様性に対して、原理に遡《さかのぼ》って説明しようとする態度があることは明らかである。

自然現象を漠然と神の意志として捉えたり、あるいは、自然なこととして汎神論的に解釈して満足してしまう、言わば神話的な状態（ミュトス）から、それらを合理的に説明づける体系の構築を目指そうとする状態（ロゴス）への移行は、それゆえ、かならずしもギリシアに限られたことではないのである。

けれども、自然現象を自然現象として認め、ある原理的な体系から、そうした個々の現象の説明を与えて満足する、という思惟構造をもつにいたったのはギリシアだけであった、と言っても先に述べたことと矛盾はするまい。

易学の目的は、たしかに自然現象の原理的説明へと遡ることであるかのように見えるが、しかし、卦《け》や筮《ぜい》が、いわゆる「占い」であることからもわかるように、「人間」の道、とりわけ、初期には、「天子」の道に興味と関心の対象があり、自然現象に注目するのは、「天子」が「天道」を正しく踏み行なっているか、という点を知るための言わば方便と言ってよい。それゆえ、易学の最終目標は、つねに、「人間」にあって、「自然」にはなかった、と結論しても、それほど乱暴ではないだろうと思われる。

もとより、ヨーロッパでも、古典時代以来今日まで、「人間」の占いとしての占星術はきわめて盛んであった。しかし、ギリシアで生まれた「自然現象を、自然現象として」興味の対象にする、という態度と知的習慣とは、たとえば易学には欠けているものであった。とくに、「運動」という問題を、自然現象のなかに読みとったギリシア人の姿勢は、その後の「科学」の方向を決定づけるほど大きな意味をもっていたのである。

たとえば、落体の問題一つを取り上げてみても、手を放せばものは落ちる、という現象を、自然な、当然な、当たり前のこととして見過ごしてしまうのではなく、自然のなかから、とくに注目すべき現象として選び出す、という習慣は、ギリシア人を除けば、ほかになかったと言ってよい。

逆説的に表現すれば、ギリシア人が自然のなかで注目すべきものとして選び出した問題を引き継いだのが、近代の西欧科学であった、ということにもなる。そして、この点にわれわれが直面している難問の一つがあることは、後に触れようと思う。

それにしても、落体の加速度現象や、惑星の円運動などに凝縮、収斂《しゅうれん》したギリシア人の自然への関心、あるいは、原子論のように、匂い、味、色など、物質の感覚に訴える諸属性を、運動学的にのみ変化し、定性的には不変な原理へと還元しようとする発想などは、結局、近代科学がそのままギリシアから継承した自然への接近様式なのであり、この点から見るかぎり、近代科学とギリシア哲学との間には、たしかに一面の強固な連続性を認めることができるのである。

キリスト教の影響

しかし、このようなギリシアからの連続性と伝統は、問題設定の枠組としては重要であったとしても、そうして設定された問題に立ち向かい、解決しうるはずだ、という確信と駆動力における保証に欠けているところがあったかもしれない。この面で注目しなければならないのは、やはり、キリスト教の影響であろう。

通常、キリスト教は、科学に対する頑迷な圧迫者として理解されている。また、そうした解釈を裏づけるための歴史的証拠にもこと欠かない。ガリレオ・ガリレイ（一五六四―一六四二）の地動説を巡る断罪、宇宙無限説のゆえに焚刑《ふんけい》という極刑を被ったジョルダーノ・ブルーノ（一五四八―一六〇〇）の例などは、実は一般に誤解されている面が多々あるとはいえ、科学的真理に対してキリスト教が不当に容喙《ようかい》した事実としてきわめて著名でもある。しかし、キリスト教を、単に科学的真理の弾劾者としてのみ取り扱おうとする態度は、歴史の一面をしか見ないものとの非難を免れえないだろう。

キリスト教の培地としてのヘブライズムも、古典時代にギリシア文化（ヘレニズム）と接触する。すべてのものを併呑《へいどん》し混淆するヘレニズムは、ヘブライズムに対しても、例外とはならなかった。ヘブライズムもそれによってさまざまな変容を被ったが、一方ヘレニズムのほうにも、ヘブライズムのもつ幾つかの重要な特徴が刻み込まれた。

その第一は、当然のことながら、創造の始源としての、唯一絶対的な超越神の概念の導入であった。

この自然界は人間も含めて、すべて神によって造られた被造物である。したがって、この世界（自然界と人間界）には、神の創造の意志が貫徹されている。日本語では、法則と法律は区別すべき語であるが、ヨーロッパ語ではほとんど例外なく、この両者は共通の語で表わされる。そしてその語源は、「置かれたもの」を意味している。英語の《law》は、《lay》と同語源であり、古代英語の過去分詞の用法からきているし、ドイツ語の《Gesetz》は、「置く」を意味する動詞《setzen》の過去分詞ほとんどそのままである。つまり、法則も法律も、相手が自然か人間かの区別こそあれ、それらをつくり、それに秩序を与え、目的に向かって動かす神の意志が、自然や人間の上に「置いた」ものなのである。

これこそ、キリスト教的創造神の概念がもたらす自然観の、一つの大きな特徴と言ってよいであろう。

もっとも、このような神の意志が、「自然な」、つまり当たり前の、自然界の諸現象をもつねに貫き、働いているのか、あるいは、天変地異とも言うべき、奇蹟的な、例外的な、特殊な現象のなかにのみ、神の意志を見出すべきであるのか、という点は、かならずしも、ヘブライズムがヘレニズムにぶつかった当初から、はっきりしていたわけではない。むしろ、「神話」(ミュトス)的な側面の強い初期には、神の意志は、特別の場合にのみ人間に明かされる、と考えるほうが自然であったろう。しかし、ヘブライズムとヘレニズムとの拮抗的変化の過程のなかで、両者の混淆が進むにつれて、神の意志と理性による世界支配こそ、自然界の秩序と人間界の秩序との根幹をなすものであるという考え方が次第に強固になっていったことは、多くの中世神学者たちが、そうした解釈を共有していることからも明らかであろう。

理解可能な自然の秩序

だが、そのような「神の意志」《voluntas Dei》が、自然界や人間界を貫いて働いているとしても、人間にとってまったく手の届かない「彼岸」にあるかぎり、人間は、最初から神の意志や秩序を理解し、把握しようとする努力を試みもしないだろう。自分からまったく隔絶したところに神の意志があるなら、人間は、ただ盲目的に、ひたすら随順し、委任する以外に道はない。

その意味では、東洋の自然観は、ヘブライズムにおけるような超越神を媒介としているのではないにしても、別の根元に由来する諦観によって、そうした随順と委任の自然観に到達している、と考えてよいかもしれない。そして、ヘブライズムや初期のキリスト教のなかに、そのような不可知論的諦観の要素があったことは疑いえない。

しかし、キリスト教にとって、これに関連するもう一つの重大な理念は、人間が、神の手によって、とくに造られた存在であり、神の理性に近い理性を与えられ、神に似た《imago Dei》唯一の被造物である、という考え方である。この考え方に立てば、自然界を支配する神の理性や意志を、とても人間の手では届かないものとして諦めてしまうのではなく、神に似せて造られた人間は、とくに神から与えられた理性を駆使することによって、神の意志、神の理性を（神の助けを藉《か》りて）少なくとも一部把握することができるはずだし、神の計画は、結局、人間に少なくとも一部、はっきりと明かされているはずだ、という信念が生まれる。

人間は、理性を働かせて、自然現象のなかに隠されつつもまた露わにされている神の理性を、認識し、把握することができる、という信念は、一方においては、人間を、他の被造物からはっきりと区別することによって、人間と自然とを切り離し、「観る」人間と、「観られる」自然、すなわち、主観と客観との明確な分離を促すと同時に、他方、「観られる」自然を貫く秩序は、「観る」人間にとって、理解可能である、という確信へと繫《つな》がっていった。この確信こそ、自然現象に人間の興味をかき立て、立ち向かわせるための、もっとも基本的な原動力であったにちがいない。

もちろん、すでに触れたように、ヘブライズムやキリスト教の思想のなかにも、神の意志を、人間からまったく隔絶、超越されたところに定め、そこから人間存在の卑小さ、人間理性の矮小さを認めてしまうことによって、人間理性の機能を否定しようとする立場も当然存在した。実は、ヨーロッパの思想の歴史は、この二つの肯定的・否定的、積極的・消極的、楽天的・悲観的な対立の間の振動という形で捉えることさえ可能かもしれないのである。しかし、この振動のバランスがどちらに傾くか、という点が、まさに、科学への道を歩むか否かの分水嶺になったし、肯定的、積極的、楽天的志向が、科学を生む原動力であったこともまた明白であり、さらに、このような対立自体は、キリスト教という思想圏のなかで、はじめて可能であった、と結論してもよいように思われる。

こうして、自然を貫く神の意志としての秩序や法則の存在に対する絶対的信頼と、このような神の秩序を不完全ながら知り得る神のコピーとしての人間理性への信頼とが、中世を通じてラテン世界が、近代科学を導くために成し遂げた偉大な準備であり、このような思想的土壌に、ギリシア特有の自然現象に対する問題設定様式の種子が播《ま》かれたことが、近代科学の稔《みの》りをもたらすことになった、と言ってよい。

2　科学のなかのヴェクトル

このような文脈のなかで、中世ラテン世界は、十三世紀ごろから、アラビア文化圏を通じて流入するギリシア・ローマの「科学」的な遺産を消化・吸収しはじめ、その上で、天文学、宇宙論、生理学、運動学、物質観などの諸領域で、ギリシア・ローマの説明体系を覆し、新しい「科学的な」(つまり現在のわれわれに馴染み深いような)説明体系へとつくり変えていく壮大な作業がはじまった。これが、普通、「科学革命」と呼ばれている歴史的過程である。

この過程のなかから、「西欧」という空間的概念が生まれ、「近代」という時間的概念が生まれ、そして、「科学」も生まれてきたのである。

ところで、そのような「西欧化」、「近代化」、「科学化」現象を支えている理念的なヴェクトル、志向性はどのようなものであったか。

擬人主義の否定

そうしたヴェクトルのなかでも、とくに重要と思われるものの一つに、擬人主義の否定という契機がある。もともと、擬人主義という語は、ギリシアのオリュンポスの神々が人間の姿形をしているという、いわゆる「神人同形説」に由来していることは、擬人主義を表わす英語《anthropo-morphism》がよく示している。《anthropo》はギリシア語の「人間」であり、《morph》は同じく「形」を意味する。しかし、ここで指摘しようとしている擬人主義は、もう少し広い概念、場合によってはアニミズムという語で呼び慣らされているものに近いことをはじめにお断わりしておきたい。

たとえばギリシアでも、多くの「神話的状態」(ミュトス)に共通するように、「物」に対して人間の「心」をあてはめて考えようとする傾向は、かなり強く存在していた。すでに高度にロゴス化されていたと考えられるべきアリストテレス(前三八四―前三二二)の自然観のなかでも、落体の加速度現象の原因は、帰心如矢というように、物体が、自分の落ち着くべき場所が近づくと、はやく帰りたいと足どりを速めるところにある、と言ったりするとき、明らかに、人間の「心」を、アナロジカルに「物」の現象に当てはめようとするものであり、擬人主義とも、あるいは、アニミズムとも呼べる一面を示しているのである。

もっとも、ギリシアには、すでにこのようなアリストテレスよりも早い時期に、デモクリトス(前四六〇頃―前三七〇頃)の原子論のように、霊魂(アニマ)の働きさえ、霊魂原子の運動に還元してしまおうとするほど明瞭な、非擬人主義的、機械論的な、現象把握様式を見出すことができる。しかし、デモクリトスのごとき自然観は、プラトン(前四二七頃―前三四七頃)からもアリストテレスからも排撃された過去をもち、中世ラテン世界のなかでも、かなり遅い時期にいたるまで、ほとんど顧みられることはなかったとも言える。

しかし、すでに中世の思想的系譜にも、擬人主義的態度を否定しようとする契機を、遡ってみることは可能である。少なくともいわゆるラテン・アヴェロイストたちの間には、それが認められる。パドヴァに定着することになったアヴェロイズムは、その極端な決定論的世界観で、当時のキリスト教の正統的教義からは、異端として排斥される運命にあったが、このような「決定論」は、のちに一部のプロテスタンティズムに受け継がれることになった神学的決定論、いわゆる「予定説」のみならず、ニュートン力学構築のプロセスのなかで、みごとに実現したと信じられた機械論的・運動学的な決定論的世界観の予表となるべきものであった。近代科学の誕生に関係のある多くの偉大な科学者が、等しくパドヴァで学び、パドヴァで教えているのも、けっしてゆえなきことではないのである。

「決定論」の裏には、物質現象が、完全にある一義的な枠組のなかでしか生起しない、という考え方がある。その枠組が、「神の意志」であれ、「神の意志」からは一旦切り離されたあとの「自然法則」そのものであれ、現象の生起に対して、現象の当事者の「心」や「意志」――たとえその当事者が「物」ではなく、「人間」であったとしてさえも――は関与することはできない。言い換えれば、現象の生起を司《つかさど》るのは、「神の意志」か「機械論的自然法則」か、ともかくも、アニマや「心」ではない。「物」の現象に「心」を入り込ませることはできない。「物」を律するのは、それに「秩序」を与えるのは、その「物」の外にあって、その「物」に働きかけるなんらかの支配力であって、「物」に内在する力ではない。ラテン・アヴェロイズム的な決定論では、そのような支配力は、まだ一般に、神の力であり、神の意志である。

しかし、そうした支配力が、神の意志から、単なる自然法則へと移り変わったとき、近代科学の基本的なモティーフの一つが形象化されたと言ってよい。なぜなら、そのような自然法則の支配下では、「物」に対して、人間がもつ「心」や「意志」をアナロジカルにあてはめること、言い換えれば、「物」自体に内在して、「物」の振舞いを司るなんらかの原因を想定したり、求めたりすること、そうした方法はありうべからざることになり、「物」に「心」を原因とする現象をあてはめることは、言わばカテゴリー・ミステイクになる、と考えられるにいたった。

たとえば、「振舞い」ということばを私はいま使ったが、その裏には、英語での《behaviour》が頭にあってのことである。けれども、《behaviour》ということばは、ややもすれば、「心」や「意志」に基づいた「行動」を意味し、少なくとも「物」には使えない、というような印象を与える気味がある。実際には、英語では、「火星の《behaviour》」とか、「一個一個の粒子の《behaviour》」などという表現が充分できるのである。われわれ近代の洗礼を経ているものにとってのみ、無生物に「振舞い」、「行動」を考えることには、なにかそぐわないものを感ずるのだ、とも言えよう。

こうした傾向は、極端には、人間自体にさえ適用されつつある。人間に関する現象を扱う場合でも、人間には内在するとされている「心」や「意志」を、そのまま研究の対象とするかぎりは、そうした研究は「科学的」ではありえない。少なくとも「心」や「意志」は、論理的に客観化できない以上、人間に関する現象も、まさに現象として、つまり、アウトプットとして現われた「行動」以外に、科学の対象となるべきものはありえない。

このような態度が、「心」理学や社会学のなかで——それらの学問領域は、「物」理学に比較すれば、二百年以上「遅れてきた」領域であり、しかもなお近代物理学のみごとな勝利を追いかけ、それに倣《なら》おうとしているものと言うことができよう——当然現われてきたし、現在でも、どちらかと言えば、その態度は保有されている。これは、「心」理学の「科学化」であり、逆に言えば、科学的になるかぎり、その理論体系のなかから、「心」や「意志」といった「擬人的概念」は、追い出されなければならない、という要請は、今日でも強いように思われる。この点は第Ⅱ部で立ち戻ることにする。

世俗化現象

こうした態度と関連して、記憶されるべきは、近代自体のもつ志向性のなかの一つの大きな、具体的なものである「世俗化」の現象あるいは方向性である。

一般的な現象として見れば、西欧近代初期にいたって、社会組織がカトリシズムの教会という強固な枠組から脱出し、いわゆる王権の伸長とともに、中央集権的な「地上」の国家へと、社会自体が再編され、あるいはこれに伴って、文化・文明の担い手も、教会の内部から、一般世俗社会へと移行してゆく、という経過が考えられるが、このような「世俗化」現象は、多くの点で、理念や概念装置の「世俗化」と並行しているのである。

卑近な例を一つ挙げてみよう。人体に対する中世から近代への考え方の転換は、この「世俗化」の一つの現われである。人体の取り扱いには、古来、矛盾する二つの方向があった。一方においては、人体や屍体を卑しむべきものとして忌避する傾向があり、他方においては神聖犯すべからざるものとして尊重する、というのがどこの文化圏にも見られる社会慣習であって、ヨーロッパでも例外ではない。

ヨーロッパの中世では、人体や屍体に直接触れたり、メスを入れたりする医師、つまり現在でいう外科医は、思弁的研究によって医学者として認められている「医師」のカテゴリーには加えられていなかった。彼らは、理髪医として、理髪業という「職人層」に属しており、その後、近代初期に、外科医がようやく大学の教授のポストを与えられるようになったのちも、内科的な医学教授たちと、給料にかなりの格差があり、それも永らく続いたのである。人間の肉体を直接取り扱う、ということが、どのように受け取られていたかが理解できる事実である。日本でも、山脇東洋（一七〇五—一七六二）、杉田玄白（一七三三—一八一七）らが、解剖を試みたとき、実際にメスを握って「腑分け」をしたのは、刑場付きの屍体処理人であって、医師たちは、それを見守っていたにすぎない。

他方、中世ヨーロッパでは、解剖は極度に嫌忌され、法律でも禁止されることが多かったが、肉体の復活を教義の一部としているキリスト教信仰と、死体崇敬の習慣とが、そうした傾向をつくり出していたことは、想像にかたくない。そこには、神から与えられた人体を神聖視し、犯すべからざるものとして捉える発想が強かった。

しかし、ルネサンスの画家たちが、禁を犯してまで執拗に解剖を繰り返し、やがて、そうした動きに刺戟《しげき》されて、大学の正課としての解剖学が普及するようになり、ウィリアム・ハーヴィ（一五七八―一六五七）の血液循環論が現われて、人体の神秘的な性格に対する攻撃の口火を切り、そこからルネ・デカルト（一五九六―一六五〇）が心身二元論的立場から、人体の機械論的把握の可能性を提唱するにおよんで、人体は、自然のなかできわめて特殊、特別の存在として、人間の知的探究のメスをはばむものではなく、冷厳な観察と分析の「対象」となり得る――という意味では、石ころや天体などとまったく区別のない――「唯物《ただもの》」的な性格しかもたなくなったことが示されるにいたった。人体の「世俗化」現象は、こうして起こったのである。

もう一つ例を出そう。地球の「世俗化」という様相である。ニコラウス・コペルニクス（一四七三―一五四三）が、地球中心説から太陽中心説へ転換した主要な理由の一つは、宇宙の中心に当たる位置に地球が置かれるべきか、太陽が置かれるべきか、という現在のわれわれから見れば奇妙な価値観の相剋から、コペルニクスが後者を選んだことにあるのであるが、コペルニクス的な宇宙体系の優越がはっきりするにつれて、明らかになってきたのは、地球が、宇宙のなかで特別の、神聖な存在ではなく、他の諸惑星と同じような惑星の一つにすぎない、という点であった。これもまた、地球の「世俗化」と言えるだろう。

このような現象は、中世から近代へという転換の前線で起こっていた、理念の上での壮大な「世俗化」の露頭を示すものである。すでに述べたように、自然界の秩序が、神の支配の直接の顕現である、と考えていた中世に比べ、近代では、そこから、「神の支配」の部分が次第に抜け落ち、あるいは「神の支配」を意識的にたな上げし、自然法則を、ただアプリオリに自然界にあるものとして、それを追究していくという態度、法則を自然の上に「置いた」主体者、秩序あらしめたものの存在が希薄になり、「置かれている」法則を追究することと自体に興味と関心とを集中しようとする態度が、次第に露わになった。近代科学は、まさに、そうした態度の上に自らの根拠を置いているが、このような理念的な転換は、自然法則という概念装置自体の「世俗化」と言うべきものであろう。私はこの問題を集約的に扱ったので詳しくはそれを参照して戴きたい（『近代科学と聖俗革命』新曜社、一九七六年）。

この自然法則の世俗化が、もっとも鋭い切れ味で現われたのは、ブレーズ・パスカル（一六二三―六二）が『パンセ』でも指摘するように、おそらくデカルトにおいてであろう。神は、この自然界の創造の最初の引金を引いただけで、それ以後の時間のなかでは、カッコのなかにくっておいてよい、とデカルトが考えたとするパスカルやアイザック・ニュートン（一六四二—一七二七）らの非難が正鵠《せいこく》を得たものであれば、まさしく自然と自然法則は、デカルトにおいて「世俗化」されたと言えるであろう。

個の感覚

「世俗化」という現象に関連して、もう一つの特徴的な局面を指摘できる。それは、「概念」の「世俗化」とでも言うべきものである。中世末期に哲学の領域で「普遍論争」と呼ばれる著名な論争が起こり、激しく争われたことがある。これは、概念が、個物に先立って存在するか否か、という問題が主題であった。つまり、「イヌ」という概念は、ハチ公にもスヌーピーにも、過去、現在、未来に存在し、存在するであろうすべての個別的イヌに適用できる「一般的」な性格を備えているが、その概念の一般性、普遍性は、その概念の当てはまる個々の事物の外に、別個に存在しているのか、それとも、概念の普遍性は、単にその概念がさまざまな具体的個物の上に等しく当てはまるということの上に成り立っているのか、という問題である。

当然予想されるように、その論争が起こるまでのこの問題に関する正統的立場は、プラトンのイデア論以来の伝統として、普遍性が個物に先立って実在することを認めようとするものである。しかし、ウイリアアム・オッカム（一二八五頃—一三四九頃）ら十四世紀の唯名論者たちは、普遍性は、個物をカヴァーする「名前」に由来するものにすぎない、という立場を明らかにした。つまり、実在するのは、個物だけである、とする考え方が誕生したのである。

この唯名論の立場は、結局、個物の存在の確立を意味している。われわれの知識探究の対象が、抽象的な一般概念なのではなく、具体的な一つ一つの個別的事物であることが、この立場から導き出されてくると言ってよいだろう。普遍論争では、この唯名論が勝利を握ったわけだが、その勝利は、人間も含めて、存在しているのは個人、個物なのであり、観念や概念として、具体的な経験世界とは別個の、抽象の彼岸にあるような存在は、追究する意味をもっていないことを人びとに教えたのであった。

こうした結果は、知の対象が、観念やイデアの世界から降りてきて、実際の、具体性をもつた経験の世界に移り変わったことを意味しており、言わば、「観念」もしくは「概念」の「世俗化」と呼ぶにふさわしい現象と言えるだろう。

この特徴的な「世俗化」現象こそ、人間社会においては、個人を確立させ、たとえば、トマス・ホッブス（一五八八—一六七九）の「万人の万人に対する闘い」のように、個人自体が、すべての現象の基礎となる、という把握様式を導いたのであり、近代的な西欧の個人主義の出発点を形成するための一つの大きなモティーフになると同時に、科学の世界を経験的な個物主義によって構築しようとするモティーフにもなった。

近代科学は、分析をその基本的手段としている。しかし、この分析という方法論が成り立つためには、分析された結果が、なんらかの個別的なものに還元できることが前提とされている。これは、物質観における個物主義、すなわち、原子論《アトミズム》の場合にもっともはっきり現われている。現象として現われた多様なものを、それを構成する個別的原子の運動に還元するという戦略も、実は、抽象的な概念の操作だけでは成り立ち得ないのである。

その意味で、「個の感覚」の成立は、近代科学にとっても、きわめて重大な契機を与えたのである。

技術の感覚

これもある意味では「世俗化」現象の一部とも考えられる。

すでに述べたように、かつて自然界は、神によって支配されていた。その支配がどのような形で貫徹されているのかはともかく、神の力、神の意志が、自然の上に置かれ、それが人間にも少なくとも一部読みとられ得るものと考えられていた。

しかし、自然と自然法則の「世俗化」に伴って、神の力、神の意志がたな上げされるにしたがって、自然を支配している力を、人間が把握し、それを利用して、人間が自然を支配する、という発想が、次第に明らかな形をとりはじめたのである。

技術というのは、科学とは違って、どの文化圏も、それなりに、文化圏固有の体系をもっている。しかし、西欧近代の「技術」は、近代科学との連帯においても、またそれを支える理念の上からも、きわだった特徴を備えていた。それが、人間の手によるこの自然の制御の感覚と言ってよいだろう。

このような現象は、神の支配力の世俗化でもあるし、また、逆に見れば、人間の力の絶対化でもあるわけで、その功罪は一面的評価を許さない。だが、人為による自然支配という理念ほど、近代西欧の思想の重要な根幹をなしているものもないのである。それは、フランシス・ベーコン（一五六一―一六二六）に集約的に象徴されている。

すでに錬金術師としてのロジャー・ベーコン（一二一四頃―九四）が、実験知（実験によって得られる知識）の重要性を提唱してはいたが、フランシス・ベーコンは、実験哲学の重要性を近代科学のなかに確立した人物として知られている。一方から言えば、近代科学が、すでに「個の感覚」に関連して述べたように、経験的で具体的で個別的な事実の世界へと降りてくることによって成立の根拠を得たことは明らかな事実であって、このことは、中世末期（ルネサンス）から近代初期にかけて、アカデミックな学問とは別個に、多くの実地家、ギルド内の職人（建築、製図、採鉱、冶金《やきん》、絵画、彫刻……）層の間に、実際的な経験から得られた知識系が存在し、それが、近代科学の誕生に向かって、一つの大きな契機の役割を果たしたことでも裏づけられている。そのもっともすぐれた例として、レオナルド・ダ・ヴィンチ（一四五二―一五一九）が挙げられる。レオナルドは、解剖や落体理論など、現在の定義から言えば当然「自然科学」と考えられる分野において、その実地から得た知識――レオナルドは、一説によれば、ラテン語の読み書きさえ満足にできなかったと言われる。この説の真否はともかく、レオナルドが一生アカデミックな学問と無縁に近かったことははっきりしている――をもとに、多くの「近代的」と呼びうる業績を残している。

実際、「事実」に基づかない科学などは、科学ではありえない。そして、この「事実」に密着する態度、広い意味での「実証主義」こそ、近代科学が向かっていた一つの大きな方向であったことは確かであり、それまでの「学問」が、ともすれば古典時代の著者（アリストテレス、プトレマイオス、エウクレイデス……など）の解説と注釈に集中されていたことに対する近代の積極的反省として、この「実証主義」が、近代初期の知識人たちによって、非常に意識的に、強力に言い立てられなければならなかったことは明白であろう。「実証主義」は、それゆえ、現在まで、自然科学の基本的態度の一つであり、それが、フランシス・ベーコンによって、きわめて積極的な戦略として打ち出されたことも、はっきりしている。しかし、このことについては、第Ⅱ部で、もう一度取り上げる機会をつくることにする。というのも、科学が「事実」に基づく、という主張は、歴史的にはともかく、現在では、トリヴィアルな意味以外には、あまり内容あるものとは言えないと思われるからである。

フランシス・ベーコンの重大な主張は、むしろ、人為による自然の制御という思想を、楽観的に打ち出したところにある。彼は、魔術という中世を通じて多くの物議をかもしてきた概念のなかに、積極的に評価すべき面を認めたのである。魔術には、自然のなかに潜在して通常の状態では現われてこない能力を、人間が強制して発揮させる、という側面がある。われわれ人間が、自然のもつ潜在能力をどこまで発揮するようにしむけることができるか、という点は、結局人間が自然についてどこまで知っているか、ということにかかってくる。そこに現われる知こそ、自然を人間の手で制御するための人間の力の源泉なのである。「知は力なり」という著名なことばは、このようなコンテクストのなかに読まれると言ってよいだろう。

フランシス・ベーコンにとって、魔術は、もはや、魔術ではなく、技術であったのだ。人間と自然とを峻別し、人間と自然との間に距離を置いたヘブライズムの特徴は、自然に対する支配者を神としていたが、その支配者が「世俗化」することによって、神に代わって人間となり、人間の自然支配力の根底には「知」がある、という転換が近代をもたらしたとも言える。この場合の「知」はラテン語では《scientia》であるが、それが「科学」を表わす《science》の語源となっていることは暗示的である。

近代西欧の「技術」の一つの特徴は、それが「科学」との兄弟関係にあるという点であろう。技術一般は、かならずしも「近代科学」の裏づけを必要とせず、どのような歴史的空間のなかにも存在しうるものであって「科学」と連帯しなければならないわけではないが、西欧近代の技術を支え、また技術によって支えられるという両面関係を絶やさなかったのが「科学」であった。

フランシス・ベーコンは、自然把握のために数学の様式の重要さをほとんど理解していなかったと言われる。また、先にもふれたように、彼は、「事実」に密着しようとするあまり、その裏にある概念装置の設定の重要さにも気づかなかった。こんなところが、フランシス・ベーコンの「近代性」を疑わせる理由にもなっていると思われる。しかし、魔術のなかに技術の側面を認識し、技術を支えるものとして科学を関連づけたという点で、明らかに、ベーコンは近代に属するであろう。

それと同時に、近代科学を推進していくモティーフ・ヴェクトルに、この「技術の感覚」がきわめて重要な役割を果たしていたことを認めなければならない。

技術は、目的を前提としている。目標到達の手段が技術であるとも言える。そのとき、各文化圏は、それぞれの歴史的、地域的な制約と枠組のなかで、さまざまな目標を立て、それぞれの方法で、その目標を達成しようとし、また達成してきた。近代西欧の技術が最終的に設定した根源的目標は、人間の手によって、自然を、人間に都合がよいように制御し、支配する、ということであったのだ。そして、この人為による自然制御こそ、自然界が人間のために造られている、というキリスト教の壮大な目的論の具象化にほかならなかったのである。

進歩の感覚

これも「世俗化」と無関係ではない。ヘブライズムや、キリスト教の歴史観の特徴は、世界の歴史が、神の手によってはじめられ、神の手によって導かれ、そして神の手によって終わる、という考え方の上に立脚している点であろう。つまり、世界の歴史には、始点と終点があり、その始点と終点とを結ぶ直線的時間の上を、自然と人間とは、神の計画に従って歩んで行く、という歴史観こそ、ヘブライとキリスト教的文化圏を、他から区別するもっとも重要なポイントの一つであった。

始点は、神の世界創造である。終点は、「救いの日」にほかならない。人類の救済こそ神の最終目標であるとすれば、この最後の日に向かってすべては収斂していく。このような「救済史観」に裏づけられたキリスト教思想は、中世にもつねに保持されていたし、西欧の時間構造の特徴として、今日でも鮮明である。

しかし、このような救済史観の内容は、近代にはいって、やはり一つの転換を迎えた。それは「救済」の意義内容の「世俗化」と呼んでもよいだろう。

科学・技術の「力」は、人間の能力を飛躍的に増大させることが次第に明らかになりはじめた。自然を制御する力を得たことによって、人間は自然を人間の都合のよいように造り変え、人間に苛酷な条件を改善し、労苦や病苦貧困を軽減し、享受しうる快楽を増大させるための保証を得たかに思われた。

キリスト教思想における人間の「救済」は、もちろん、現世的な苦痛からの解放や快楽の増大ではない。むしろそうした現世的な幸福追求の期待に背いたために、キリストはユダヤ人に殺されたとも言えるし、キリスト教が現世的な幸福の追求へと近代において宗旨がえをしたわけでもない。しかし、現実に科学・技術が、一つ一つの問題を解決し、その解決によって具体的な労苦や貧困の原因もまた一つ一つ取り除かれていくと、結局、その過程のなかで、現世に、人類が、苦痛から解放され、快楽を追求できる世界、すなわちユートピアが実現できるし、それが、人類の「救い」に連なるはずである、という一種の楽観主義が現われてきたのも当然であろう。

「近代」ということばが、単なる時代区分のための名称ではなく、一つの価値観としての機能を果たしはじめる、というのは、近代に対する肯定的な楽観主義にほかならないが、またそれこそが、近代の理念でもあろう。とすれば、過去から現在まで、人類は直線上の進歩を遂げてきたのであり、現代(=近代)こそその進歩の極致、つまり、価値尺度の最高に達している、ということになるであろう。少なくとも、科学・技術の進歩を重ねていけば、将来かならず、人間は現世的に救われる。この信念が形造られることによって、科学・技術は、強い駆動力を受けたのである。

とくにこうした価値尺度は、新大陸におけるアメリカの発展に、並行していた。ベンジャミン・フランクリン（一七〇六―九〇）は、政治家であると同時に科学者でもあったわけであるが、彼の政治哲学のなかにも、明らかに、その楽観主義がある。新大陸に新国土を建設するには、未来に対するそうした楽観主義が決定的に必要であったろうし、逆に、新国土だからこそ、楽観主義が育ったとも言える。いずれにせよ、現代初頭のアメリカのプラグマティズムも、基本的には、このような進歩に対する楽観主義の一つの変形であろう。

もっとも、同様に旧大陸においても、新しい社会を築こうとしていたフランス革命政府の政治哲学には、明らかに、科学・技術に対する強い信頼と、それがもたらす人類社会の進歩への朗かな確信とがあった。

十七世紀、十八世紀そして十九世紀のヨーロッパは、この人類の進歩と、人間の手によって人間自身を「救う」ことが確実に可能である、という「進歩の感覚」によって支えられていたのである。こうした「救い」の「世俗化」は、ある意味では、近代のみではなく、今日のわれわれにまで受け継がれている。今日のわれわれは、その前代の人びとほど楽観的ではないにしても、依然、その価値観のなかにいる。と同時に今日その価値観が疑われていることもまた、明らかな事実と言わなければならない。

3　科学の反省

科学の「局地性」

前節においてわれわれは、「科学」が「西欧」と「近代」に固有のものであり、その点では、今日「近代化」され「西欧化」された文化圏は、同時に必然的に「科学化」もされている、という事情が、なぜ成立するのか、その原因を探ってきた。

科学は、人類共通の普遍的所産であって、歴史と地域という時間―空間的な制約を超えて、あらゆる時代とあらゆる地域に普遍に妥当するものである。

こうした考え方は、科学的知識体系のもつ普遍性、中立性、没価値性として、しばしば主張されてきたし、今日でもその信念はかなり強いものである。

たしかに、日本の場合を例にとってもギリシアの伝統もなく、キリスト教的な思想背景もなく、儒学、仏教、神道など雑多な自然観が混在するなかに、近代科学は、南蛮学以来の長い歴史的な受容過程を通じて、ほとんど問題なく、日本文化のなかに取り入れられてきているように思われる。もちろん頑迷な反科学主義者もいないではなかった。たとえば、幕末から明治へかけての仏教思想家佐田介石（一八一八―八二）は、ヨーロッパから移入されたランプにまで激しい反発を示し、『ランプ亡国論』を書いた。しかし一般的に言えば、過激な尊攘派であっても、西欧近代の科学・技術に対しては肯定的であった。

それゆえ、科学が、これほど土壌が異なり、文化的背景を異にする日本にも、そのものとしては矛盾なく取り入れられるのは、科学のもつ普遍性、中立性、没価値性を端的に立証するものである、というように受け取られてきた。

また、原子爆弾などの悲惨な「科学・技術の所産」が問題になる場合でも、たとえばロバート・オッペンハイマー（一九〇四―六七）やアルベルト・アインシュタイン（一八七九―一九五五）の個人的な苦悩はともかく、一般論としては、科学や技術は本来中立的なものであって、それ自体、倫理的価値観とは関わりがない、結局は、それに携わり、それを利用する人間の問題である、というように論じられてきた。

ここに挙げた二種類の「中立性」はもちろんかなり性格の違うものである。前者は、積極的な「中立性」であり、科学・技術が適用される対象となるべき文化圏は、時代や地域の制限を受けないと主張するものであり、後者の「中立性」は、科学・技術によってもたらされる「諸悪」に科学・技術自体は関わりをもたない、つまり、手を洗っていられる、という消極的な中立性を主張するものであろう。しかし、いずれにせよ、科学・技術が、それ自体として自己充足的な体系であり、人間は、ちょうど箸や皿を使うように、その体系を取り扱うことができる、という認識に支配されている点では共通している。

けれども、科学・技術が、単にそのような自己充足的で完結した構造をもっているのではなく、実は、「西欧」、「近代」という時間―空間的な一つの人類のエポックに、抜きがたく結びついている、という事実が、ようやく明らかになりはじめたと言ってよい。この節の冒頭に述べたように、科学は、「西欧」と「近代」の理念と価値観とを濃密に身につけているのである。それを抜きにして科学を論ずることは、実はできないのである。

日本が、ヨーロッパの科学を含む学問体系に接したとき、つねに、「東洋道徳・西洋芸術」あるいは「和魂洋才」という言葉に象徴されるような態度を示したのは、西欧の科学と、それを裏づけている西欧の理念と価値観とをあえて引き離し、分断した上で、科学だけを取り入れることを図った、という事実を示している。

それができたではないか、と言われるかもしれない。しかし、それは、二つの意味でできてはいない。第一には、われわれは、西欧科学を受け入れることによって、好むと好まざるとにかかわらず、近代西欧の価値理念をも少なくともなにほどかは受け入れざるを得なかったのであり、「和魂洋才」とか「東洋道徳・西洋芸術」などのスローガンは、むしろ、そのことの自覚に立った上でのはかない抵抗のことばと受け取るべきであろうと思われる。

それと同時に、第二には、日本が「西欧化」され「近代化」されたというとき、その西欧化、近代化を被らない形而上的構造が依然として今日のわれわれにも残っており、まさにそうであるがゆえに、日本の科学は、西欧科学の真髄に、いまだ到達していない、と言えるところがたしかに存在している。のちにふれることになろうが、日本の科学のさまざまな跛行《はこう》性——それは、西欧科学に視座を置けば、デメリットであるが、しかし、もっと広い視座から見たときには、たんにデメリットとして考えることはできないかもしれない——は、日本の形而上的構造が、今日でも「西欧化」され「近代化」されていないところに由来するものと思われる。

いずれにせよ、科学・技術が、普遍的であり、中立であり、没価値である、という主張は、科学・技術の「普遍的価値」を自明のものと信じきり、当然の前提として認めてしまう近代の西欧において、はじめて成り立ちうるのであり、近代化され西欧化されたと言われながらなお、非近代的非西欧的思想構造をもつ日本においてはもとより、西欧においてすら、近代を経て、その延長上に新しいエポックを迎えた現代においては、もはや妥当しない、と考えてよいように思われる。

それは、「西欧」と「近代」に対する西欧自身の、今日の反省であり、また「西欧化」され「近代化」されることを追究してきた日本その他の文化圏の反省でもある。

すなわち、科学の時間―空間的局地性に関する認識の発生と言ってよい。すでに言及した西欧近代科学を推進したいくつかのヴェクトルは、結局科学が、そうしたヴェクトルを肯定する地域と時代において、はじめて普遍的と考えてよいことを示してくれている。言い換えれば、そのようなヴェクトルをもって張られる「西欧」という地域、「近代」という時代、そういう局地的な空間に科学が定位されているのであり、そのような形而上的構造をもった空間をつくることがすなわち「近代」であり「西欧」であることになる。

近代をよしとし、西欧近代にすべての価値観の根元を置くかぎり、われわれの出発点もまたそのような形而上的構造を備えた空間となるであろう。

今日のわれわれは、しかしながら、そのような空間を自明のこととしてはいないのである。

合理性への疑問

西欧近代を支える基本的理念の一つは、すでに見たように、人間の理性であり、また、自然にも神の理性が貫かれているという意味で、自然を理性的な存在として把えることであり、また人間は人間理性を駆使して、自然の合理性を追究しようとすることであった。たとえば、よく引かれるが、ガリレオの、数学こそ、自然のなかに書き記された文字である、という発言は、やはりそうした合理性への信頼を最も鮮かに示している例と考えることができよう。

しかし合理性に対するさまざまな局面からの信頼は、西欧において、現在かならずしも自明なことではなくなっている。人間の理性自体、あるいは、自然の理性的構造、あるいは、両者の楽観的合一、こういったことがらが、あらゆる知識の前線にわたって、知識体系の積み重ねと拡大を現在でも支えている一方、しかし、その支えそのものに対する反省もまた、前線の後陣にはじまっているのである。芸術においては、絃の整数比分割によって得られる倍音を基にした調性的な音組織が今世紀に入って崩れ、十二音音楽へ、あるいはさらに微分音的音組織へという顕著な変化を見せた音楽の世界に象徴されるように、数学的合理性への対極の志向は、建築、絵画、彫刻にもはっきり見てとることができる。元来合理性への意志において最も消極的であったはずの文学でさえ、その主題は、論理的な、正常な人間理性の機能範囲から、次第に、そうした人間理性の内側に潜み、むしろ理性によって抑圧され沈黙させられている非合理的な、あえて言えば狂気の世界で起こることがらへと、移行してきているとも言える。

これと並行するように、精神医学において本来人間の心の合理的把握を目指していたジークムント・フロイト（一八五六―一九三九）以来の深層心理学は、むしろ、フロイトの「科学的」心理学の形成という目標を離れて、人間の非合理性の非合理的把握へと進む傾向を少なくとも一部で示している（たとえば「分析心理学」）し、また人間性の本質を、非合理性に求めようとする発想も顕著に見られるようになっている。

「進歩」への疑問

前節に見たように、西欧近代は、進歩への楽観的な期待に支えられていた。「知は力なり」とする「知」＝「科学」によって、われわれは、自然を人間のために制御し改変する「力」＝「技術」を得ることができる、「知」の増大はすなわち「力」の増大であり、蓄積された「力」を使って人類は自らをさまざまな悲惨から救い出し、至福の楽土を建設することができる、という確信は、けっして普通に言われるユートピア主義者のみの専有するものではなく、近代人が等しく共有していたと言えよう。

もちろん、十九世紀になって、産業革命と資本主義の展開とともに、救われるはずの人類が階級化され、労働者階級の悲惨が強く意識されるにいたって、科学・技術への無批判な楽観主義は現実的基盤を失ない、また機械化の伸展とともに、労働内容の画一化や個人の「歯車化」が新たな精神的貧困をもたらすにいたって、科学・技術への信頼は一挙に揺らぎはじめたかに思われた。カール・マルクス（一八一八―八三）は、これらのことをもっとも鋭く見通していた時代人であった。しかし、そのマルクスでさえ、こうした「救いのなさ」や「新たなる貧困」は、社会経済上の問題に原因があり、科学・技術自体にその責任を問おうとはしない、という意味では、いまだある楽観主義が遺されている。

だが、フョードル・ドストイエフスキー（一八二一―八一）の例の「大審問官の場」が描くような、知と力の勝利への疑問は、ようやく、一枚岩の価値観を背負った近代科学・技術への根本的な疑問の表白となりつつあった。実存主義も、そのような文脈のなかで理解すべきものであろう。もちろん、このような反省が、西欧の内部で行なわれるとき、それは、結局、気づかれるか否かは別として、キリスト教の枠のなかにおいてであり、すでに指摘した「世俗化」現象への反発と、神性の回復との方向をもっている。

とくに、現今、公害や環境汚染にからんで「人間の自然支配」という近代科学・技術そのものを支える一つの柱が、あらためて問題となるにおよんで、人類が営々と築き上げてきたもののなかで、とくに西欧の到達点とその軌跡とを、唯一の価値観として、一直線の「進歩」とみなすことには、重大な見落としがあったのではないかと考えられるにいたった。

日本の特殊性

こうして、近代から現代への西欧自体の変質は、科学・技術を支えるさまざまな近代西欧の価値観を一つずつ洗い出し、それに検討を加える、という作業とともに、今日まで進められてきたし、今もまだ続けられている。しかし、日本という「近代化」、「西欧化」された一つの局地的文化圏のなかでの状況はどうであろうか。

繰り返し述べてきたように、科学・技術とわれわれが現在呼んでいるものは、西欧という時間と空間との所産であって、その思想空間から切り離されることはできない。したがって、日本が、それを受容し移入するにあたっては、必然的に、なにほどか、近代西欧という思想空間をも受容し移入してきたことになる。それは、日本ではつねに意識的に避けようとされてきたことでもあった。形而上学と形而下学とを峻別し、「形而下学」としての科学・技術だけを取り入れよう、とする日本の対西欧の態度は、西欧の形而上学と形而下学とを切り離すことができる、という誤解の上に成り立っていたが、しかも、それができると信じて努力してもきたのである。しかし、実際に、西欧の科学・技術を取り入れていく過程で、日本は意識的に西欧の形而上学を全面的に排除することはできなかった。

けれども実態はさらに複雑である。西欧の形而上学を全面的に排除できなかった一方、科学・技術を支えている西欧の基本的な理念を完全に理解することもまたなかったのである。それは、形而上学と形而下学とを区別できるという確信の結果でもあるが、日本は科学・技術移入のモデル・プラントのごとく評されながらなお、近代西欧の本質を、したがってまた科学・技術の本質を把える点で欠けるところがあったと言わざるをえない。

一つの例を挙げてみよう。サイバネティクスは、とくに第二次世界大戦中にアメリカで発展した科学と技術との見事な結婚の成果である。それは、人間と機械とを一つのシステムとして把え、全体のシステムを有効に能率よく目的達成へ動かしていくために、個々の情報の伝達と制御とをどうすべきか、という観点から考究する分野と言ってよいだろう。ここでは、人間自身が、システムのなかの一つの素子として、他の諸器機との関連のなかで分析の対象になっている。その分析の結果は、システムの目的達成までの制御に利用される。人間は、科学的探究の対象、素材として、他のさまざまな素子とまったく同様の取り扱いを受ける。すでにふれた西欧近代の広汎な「世俗化」の一つ、人間の「世俗化」の極端な例でもある。

ところが、戦争というもっとも冷厳でしかも緊急な状況のなかで、日本には、こうした発想は、ほとんどまったく現われなかった。世界の名機と謳われた「零戦」は、たしかにずぬけた運動性能を備えてはいたが、それはパイロットの熟練という「人間的要素」を除いては成り立たない種類のものであった。熟練したパイロットの消耗が激化するにつれて、「零戦」の戦闘能力は極度に下落した。サイバネティクスでは、人間の能力の下限を基礎にシステムの制御が図られるのに比して、日本の目的達成への制御活動は、むしろ人間の能力の上限を基礎にしていたとも言える。そして、その能力の上限を可能にするのは、人間の熟練と精神力とであると考えられていた。

その結果はどうであったか。システムのなかでの人間を信頼しない欧米流の方法からは、攻撃や防御の直接的な局面からできるだけ人間を排除することが図られ、自動化、省力化のなかで、逆に人間の尊重が結果された。人間の能力を信頼する日本流の方法では、爆弾に人間を載せるという「非人間的」な結果が招来された。徹底した人間の対象化、もの化が、人間尊重となり、人間を人間らしく扱おうとする立場が人間否定を招いたのは皮肉である。

だが、このことの教訓はむしろつぎの点にある。西欧の科学・技術の理念の延長の上に、サイバネティクスは展開されている。しかし、その理念を完全に継承していなかった日本では、その発想が現われなかったと言えないであろうか。ここに、日本の科学・技術の跛行性の一つの例を見ることはできないであろうか。そしてこのことは、科学・技術が、西欧の思想空間にどれほど依存しているか、という点の一つの証明になってはいないだろうか。

しかし、それが日本にとってつねにデメリットであるとはかぎらない。最近の日本ザルの研究は、世界の脚光を浴びた日本の独創性を表現していると言われるが、その一つの特徴は、観察者が個々のサルに「感情移入」していると見えるほど密着しているところにある。これは、人間までも冷厳に対象化する欧米流の方法論の盲点となっていた、という評価がある。もとより、これをもって、日本の形而上学的基盤のなかに、近代西欧とは別個の、独自な科学が生まれる可能性がある、と主張することはできない。けれども、少なくとも、形而上学的な価値観や概念枠や理念が、科学理論の形成に決定的に効いてくる、ということの一つの例にはなるだろう。

4　未来への展望

科学の「局地性」を、日本がある程度証明しているとすれば、近代以外、西欧以外、すなわち、今後の地球的な規模における新しい科学・技術の展望を、われわれはどのように拓くことができるであろうか。

いわゆる環境汚染について

環境汚染が、科学・技術の発展の副産物であることは明らかである。それを「自然の復讐」と考え、人間の手による自然支配には根本的な限界があり、人間が自然を支配するというような「西欧近代」流の傲慢な自然観に、自然が鉄槌を下したのだ、というような論評が多くなっている。もちろん、このような論評には一種のレトリックがあって、そうした論者とて、自然が人間の傲慢さをたしなめるような擬人的存在であると考えているわけではないのだから、環境汚染も科学・技術の進歩とともに克服できる、とする楽観主義に対して、どこまで論理的に反駁《はんばく》しようとするものであるか、という点は、実はかならずしも明確ではないことが普通なのだが、それにしても、科学・技術の限界が、公害や環境汚染に絡んで、漠然と、しかし根強く、主張されるようになっている。

そして、ここでも、科学・技術を支える形而上学的構造としての自然観が効いてきている。しばしば言われるように、日本では、人間と自然との癒着的融合が強い。これは、自然から人間を切り離し、自然を客体として対象化し、また制御しようとするヨーロッパ、とりわけ近代西欧の自然観と著しい対比をなす。そのような融合的自然観のなかでは、すべての現象が「自然な」ことになる。汚水も放置しておけば自然に土壌が濾過してくれるし、あるいは自然に海水のなかで処理されてしまう、というわけで人工的な下水道の普及は、文明国と呼ばれるにはほど遠い。

あるいは「自然保護」という場合でも、融合的自然観は、「自然」を、「あるがまま」として捉えることを要求する。かくて日本では、「自然保護」はすなわち、現在そうある状態の保存であったり、自分が子供のころそうあった状態にもどすことであったりする。つまり、保護されるべき自然とは、ある歴史的な時間点（それは現在であったり、今から三十年前であったり、百年前であったりする。しかし、百年前の状態など誰も知らないので、多くの場合、遡れても五十年前ぐらいが限度となる）において自ら然うある状態のことを言うことになる。

けれども、ある歴史的な時間点において自ら然うある状態が「自然」であるという根拠は実はどこにもないのではないか。

たとえば、極端な例になるが、オランダやデンマーク、最近ではイスラエルの「自然」とはどんなものだろうか。山も川も森林も、田畑も、土地自体さえも、人間の手を経ていないものはない。人間の手が、人間のために、人工的な自然を造り出しているのである。つまり、そういう意味では、自然は、自ら然うある状態をいうのではなく、人間が然うあらしめた状態をいうのである。日本という思想空間では、人工的自然ということばは語義矛盾であるが、近代西欧では、それは少なくとも観念的には語義矛盾ではないのである。

人間のための自然、神が人間のために与えた自然は人間の住居なのであり、自ら然うあるがままに任せる必要はなく、より快適に改造することは、なんら自然破壊ではない、むしろ、それこそが「自然保護」である、という自然観と、自然に人為の手を加えない（ただし、「加えない」というときの自然は、ある歴史的な時間点における「自然」であって、それが、過去に人間との共生生活のなかで、どれほど実質的に「変化」を余儀なくされてきているかは顧慮しない）ことをもって「自然保護」と考える自然観とが、環境汚染や自然保護の問題に対してもつ発言力の強さの違いは、どうもはっきりしているように思われる。

自然は、人間の全能力を傾け尽くしても、制御すべきものである、またしなければならない、という前提――それは、繰り返し述べてきたように、西欧的「形而上学」の一端を形成していた――を曖昧にしたり、否定したりすることから、自然保護や環境破壊への人間の穏りある対処の方法が生まれるとは思えない。ゾウやゴリラのような巨大な筋力もなく、ネズミのような鋭い歯と高い繁殖率ももたず、トビのように空を翔《かけ》る翼も強力な視力もなく、ワニやクマのように水や寒さに耐える術《すべ》も知らない、ちっぽけでひよわな存在であるヒトが、これまでに達成してきたことがらは、一方において、やはり、西欧近代に収斂しているし、また、その延長線を見通している。どれほど悲観的な論者といえどもそれをしも否定はできないし、その収斂点が、自然制御という強力な形而上的な理念を一つの基盤としていることもまた否定できないのではないだろうか。

それでは、科学・技術は、西欧近代の路線の延長上を今後もそのまま走っていけばよいのだろうか。また、科学の「局地性」と、このような西欧近代の理念の表面的普遍性とをどのように両立させて考えたらよいのであろうか。また、西欧近代への西欧の内部での反省、現代における反省を、どのようにわれわれの未来に生かすべきなのであろうか。

科学・哲学・神学

すでに述べたように、西欧の現代は、一方において近代の継承であり、そのさらなる先鋭化であると同時に、他方において、その対極への反動である。西ヨーロッパの現代は、そうした引き裂かれた状態にある。

そのなかで、科学・技術は、前者の方向の旗手として、ひたすら突っ走ってきた。しかしその科学・技術にさえも、チェックがかかった。チェックがかかってみると、今度は、科学・技術はあたかも犠牲山羊《やぎ》のように、悪者の役割をわり振られて、追放を宣告されかねない状態である。しかし、それがわれわれの現在なすべき仕事である、と言われるなら、私は、それに従おうとは思わない。

だが、未来への建設的提言をするとすれば、それだけではすむまい。困難なら困難なりに、科学の未来を築くための行く手を模索しなければなるまい。

第一の論点は、科学の「局地性」にある。現在までの科学が、西欧という思想空間の直接的所産であり、また、そういう思想空間を張っているさまざまな概念の道具や考え方の枠組によって規定されたものである、ということが認められるならば、それとはまったく異なった思想空間のなかで、世界に生起する現象を把握したときに、これまでとは異なった「科学」体系が生まれてくる可能性をわれわれは否定できない。それもまた、その新しい思想空間のなかでの合理性にちがいはないのである。

もっとも、現在のわれわれ自身、依然として、西欧的な思想空間のなかにいる以上、その新しい「科学」体系がどのようなものになるかを想像し、あるいは推定することはきわめて難しい。しかし、科学の歴史を振り返ってみると、新しい科学体系が生まれてくるとき、思想空間の変化がつねに伴われていることがわかるであろう。それは、むしろ、「新しい事実群」の出現によって起こるというよりは、新しい思想空間のなかで、事実群が「新しい」意味を与えられることによって起こるのである。とすれば、概念の道具や枠組の転換によって、「新しい」科学体系が生まれる可能性を否定できないのである。

それゆえ、思想空間と、それを張っているさまざまな座標軸とが、その空間を所有する文化圏と時代とにおける科学理論と、どのような関係をもっているか、という点を、探究することが、ぜひとも必要な作業になろう。このことは、ある時代のある文化圏の思想空間の分析から、どんな科学理論体系が生まれてくるかを予測することを可能にするだけではなく、どのような科学・技術体系を人類が将来に対して選択すべきか、という人類の意志決定にも、重大な材料を提供してくれることになるはずである。

それは、言い換えれば、形而上学と形而下学との関係の再認識でもある。そして、その作業は、まさしく、哲学そのものにほかならない。それが、かつて古代や中世、近代初期ヨーロッパにおける「哲学」（知を愛する）の営為であり、あるいは、中国、日本において、儒学や仏教がそれなりに果たしていた営為でもあった。近代末期、それも十九世紀も半ば頃から、哲学と科学との独立と離反とははなはだしくなり、両者は、まったく別個の知的活動として両極に位置する不幸な一時期を招いたが、しょせん、両者は、切り離されてすむべきものではなかったのである。

われわれは、こうして科学を、哲学のなかに包括しなければならない。そしてそれが、そもそも《scientia》本来の一義的活動なのである。

しかし、われわれは、そこにとどまっているわけにもいかない。

近代西欧の思想空間を張る一つの重要な座標軸、「人間の手による自然の制御・支配」を例にとろう。この座標軸が、近代科学・技術の定位のためにどれほど不可欠なものであったかは、自然保護の問題にも関連して、日本の思想空間と比較してすでに見たとおりである。環境汚染や自然保護を扱う際に、そうした西欧の近代の思想空間のほうが、より有効であることもまたすでに指摘した。その意味で、西欧近代の形而上学的構造をわれわれは継承すべき立場にある、とも言えるだろう。

問題は、むしろその先にある。なるほど、そうした構造のなかでは、「人間のために、自然を人間が制御する」ことが強く意識され、目的化されるだろう。しかし近代西欧は、まさにそこにおいて、「世俗化」の本質を露わにしている。すなわち、「人間のために」という目的論がいったいいかなる意味で言われるのか、という局面において、今日の「世俗化」されている哲学は力を失うであろう。

「人間のために」という目的設定に問題があるのではない。しかし、人間のために、といったときに目的とされているものが何なのか、この言わばもっとも根本的な問いに関して、近代の哲学は発言ができない。

かつて、中世ヨーロッパにおいて、哲学（それが現在いう「科学」を包括していたことはたびたび述べてきたとおりである）は、神学の下婢《かひ》の立場にあった。神学は、文字どおり、人間のすべての価値の根元であり、それを言わば最大の雨傘として、哲学の雨傘をそのなかに収め、科学的知識は、さらにそのなかに収められたより小さな雨傘を形成する、といった構造をもっていた。すべての知識体系は、最後には、最大の雨傘まで遡ってはじめて、全体のなかに意味をもつことができた。

これはけっしてヨーロッパに限らない。むしろ、儒学の場合にも、より鮮明に現われた性格であったと言えよう。

儒学とくに朱子学の系統では、すべての現象に関する知識は、理と気とに還元されるが、それらは最終的には、人間の道に重なるものであるとされる。「道理」なることばがある所以でもある。通常この事実は、儒学のなかでの「科学的知識」が、それ本来の意味と独立性を欠いていて、したがって、西欧近代のように科学体系として成立しなかった原因の一つと考えられている。逆に言えば、そうした人間とはなにか、人間にとって善とはなにか、といった、言わば神学的価値観から独立した科学的知識の発生が、近代西欧科学の誕生を意味したのであるから、科学・技術は、この「価値観からの独立」、つまり「世俗化」現象を経てはじめて可能であったとも言える。

しかし、この「世俗化」によって、人間の生きる目標、より善き生への志向、などと知識体系とが切り離されたことを契機として、結局、西欧科学・技術の目指す目標が、「有効性」、「迅速性」、「経済性」、「快適さ」などといった副次的な目標に設定されたために、「人間のために」というときの人間、あるいはその「善」という主目標が脱落してしまったと言えないであろうか。その主目標は、人間がこの世に生を受けていることの意義に対する追究と認識とを欠いては、けっして回復されないだろう。

われわれは、いま、科学・技術を「力」としてきわめて多くのことを成し遂げてきたし、また成し遂げようとしている。それに伴うさまざまな不都合も、また、それらが現われてきた段階でのみならず、それらを予測することによって、排除し、避けることができるようになっているし、今後も、その努力を怠ってはならないことはもちろんである。

そうした努力や予測から、大きくはずれるような突発的な現象の出現も、あるいは覚悟しておくべきかもしれない。が、それにしても、非合理の世界を非合理に捉えることによってではなく、人間の理性と世界の合理性への信頼とその信頼に基づく体系的な知識によってこそ、われわれは、そうしたまったく予測と理論の枠外の出来事に対しても、対処していくことができるはずである。

けれども、いかに世界のそのような合理的把握が進み、世界のなかに未知な部分が少なくなったとしても、われわれが、「人間のために」という目標に正しい解答を用意せずにいたとしたら、人類は、自然の制御において、人類自身を滅亡へと追いつめることさえ覚悟しなければなるまい。

その解答は、すべての知識体系の外側を被《おお》う最終的雨傘として、すべての問題を解決するための最基層に属する前提として、われわれ人類の判断を縛るものとならなければならない。そして人類は、その前提に合意するかぎり、われわれの意志決定をつねにその前提から演繹《えんえき》することを固く遵守する、と決意しなければならない。そのためには、その前提はすべての人類に、すべての時代に、すべての社会に、等しく受け容れられるべきものでなければならない。

こうした超歴史的な真理は、科学でも、哲学でもなく、新しい神学によってはじめて可能である。既成の特定の宗教、特定の神学体系をいう必要はない。しかし、この困難な作業に、いま、人類の叡知《えいち》を捧げることを怠るとしたら、人類の未来はあるまい。人類は、自らの未来を左右することができるほど「知」の「力」を得たのである。その意志決定をするための公理の探究こそ、なんとしても成功させなければならない。そうした二重の意味で、われわれは、人類の未来の選択の鍵を握っているのである。

問おう。われわれは、人類をどこへ導こうというのか。

第2章　キリスト教の自然観と科学

はじめに

キリスト教と自然科学との関係を考えるにあたって、両者を対立し合うものとみなす時代はすでに過ぎた。自然科学が近代に生まれたとき、それは必然的に、中世を支配していたキリスト教信仰を否定することをもって始まった、という印象はたんなる誤謬にすぎない。したがってまた、キリスト教の歴史における意義、とりわけ自然科学の歴史における意義を、弁証法的に「テーゼ」と規定することのなかにのみ見出す、つまり、近代合理主義を生み出すための否定的なスプリング・ボードとしてのみ考えようとする立場もまた、誤りと言わなければならない。

これはたんに今日、「近代合理主義」が否定されるべき対象となっているという、歴史上の変化に対応して、キリスト教が「見直され」てよいのではないか、というような観点から言うのではない。

むしろ第一には、キリスト教の一面が、実は近代合理主義そのものである、という論点にその基本的な様相があり、第二には、それにもかかわらず、キリスト教が、そうした近代合理主義の超剋にとっての一つの視座を提供しているのではないか、という見透しに、積極的な意義を認めたからにほかならない。

はじめに、第一の論点に立ち入ってみよう。

1 キリスト教と近代合理主義

ガリレオ事件の印象があまりに強いために近代合理主義と自然科学は、その登場からキリスト教に対する否定の契機をもって始まったという誤解が生まれたと言ってよい。だが第一に、近代科学の礎石を築いた人びとが、キリスト教信仰に否定的感情を抱いていた、という例は、ほとんど絶無と言ってよいだろう。

たとえば当のガリレオ自身がそうである。ガリレオは、カトリック教界の内部に完全に喰い込んでいて、例の異端審問事件の蔭の教皇ウルバヌス八世（一五六八―一六四四）は、彼のかつての学問上の弟子マッフェオ・バルベリーニその人であったほどだが、こうしたガリレオのカトリック教界内での「成功」の一部には、ガリレオ特有の処世術があったことは確かである。しかし、それではガリレオが、自らの栄達のために、たんに宗教を利用したのかと言えば、それは明らかに事実ではない。

当時の科学者と同様ガリレオのキリスト教信仰そのものは、彼の生涯を通じて一度も揺らいだことはなかったと断言しても誤りとはならないはずである。むしろ、ガリレオは、結局は彼自身を断罪の危険にまで追い込むことになった主著の一つ『天文対話』（実際には『コペルニクスとプトレマイオスの二大世界体系についての対話』というタイトルをもつ）を書く動機の一つとして、プロテスタントの世界では一般的になりつつあったコペルニクス体系が、カトリック教界内部でもけっして否定されてはいないことを証明しようとしたこと、言い換えれば、宗教改革運動の開始から約百年、ようやくカトリック、プロテスタント両者の教義的な再編成と収拾活動期にあって、当初コペルニクス（彼自身が完全にカトリック教会の一員であった）説がカトリック側から推賞・歓迎されたのに反し、マルティン・ルター（一四八三―一五四六）を始めとする多くのプロテスタントがこれを激しく非難・攻撃していた状況が逆転し、アリストテレス的自然学の枠組に依拠し続けようとするカトリック神学のなかでコペルニクス批判が一つの勢力として印象づけられ始めていく一方で、プロテスタント側が、コペルニクス説を旧体制批判に政治的に利用しようとする時代を迎えて、カトリック内部のガリレオが、カトリックを擁護しようとするという目的が、その動機にこめられていたと言われる。

この目的は結果としては裏目に出て、カトリック教界は、今日まで、ガリレオ断罪という一つの負い目を甘受しなければならなくなっているが、しかし、ここで言いたかったことは、ガリレオが、アリストテレスの自然学をあれほど舌鋒鋭く、辛辣《しんらつ》に攻撃しながらも、自分のそうした批判が、キリスト教の伝える神のメッセージとはいささかも背反するものではないという確信を抱いていた事実である。

一方、プロテスタント側で言えば、古くはマックス・ヴェーバー（一八六四―一九二〇）の指摘以来、多くの知見は一致して、十七世紀「科学革命」の担い手の多くが、プロテスタントであり、しかもそれは、たんなる現象面の一致にとどまるのではなく、理念的にもある種の必然性が見てとられることを言い立てている。

実際のところ、近代科学の創始者の多くは、自らの自然探究の仕事が、最終的には創造主たる神の栄光と全能とを白日のもとに露わにする光輝ある営為であることに、絶対の確信を抱いていたと言ってよい。ニュートン、ロバート・ボイル（一六二七―九一）、ロバート・フック（一六三五―一七〇三）、そして、世界と時計細工のアナロジーによって、世界の歴史の進行の過程から神の手を排除したことでニュートンらが激しく非難したデカルトでさえ神に対する信条を軽んじたことはなかった。

元来、キリスト教の理念のもつ一面が、近代合理主義の支柱となったことは疑いえない事実である。ギリシア的な自然観では、人間と自然とは、他の古代文化圏と同様に一致していた。自然を表わすギリシア語ピュシスはまた生命体とも深く関わる語であった。したがって、自然現象は人間からのアナロジーを使って説明されがちであった。いわゆる擬人的な自然観は、こうしてギリシア的世界の一つの特徴であった。

しかし、キリスト教的な考えがギリシア世界に滲透《しんとう》するにしたがって、このような擬人的な発想は次第に駆逐され始めた。理由は比較的簡単である。キリスト教では、自然も人間もともに創造主の手になる被造物であることには違いないが、しかも両者の間には、越え難い大きな溝があることを強く主張するからである。自然と人間との間に設けられたギャップは、第一に、自然は、人間の住処《すみか》として神から与えられたものとして把握されることのなかにあり、第二には、人間のみが、不完全ながらも、神の理性に近い理性と意志とを与えられた存在である、という人間観のなかにある。

こうしてキリスト教的発想の内部では、神の理性が支配するこの自然は、支配の原理としての合理的な秩序をその本質として内蔵していることが前提され、したがってまた、不完全ながら理性を具備する人間が、与えられた理性を駆使して、自然界に内蔵される神の意志と理性の顕現たる合理的な秩序を追究し我がものとしていくことができるという確信が芽生える。人間の理性にとっておよそ手の届かない摩訶不思議な自然ではなく、まさしく人間にとって「理解可能である」ような自然の相貌がそこに浮かび上がる。

このことは、人間と自然とが、理解する主体者としての人間と、理解される客体者としての自然とに分離することを、その一つの系として含んでいる。いわゆる「主客」の分離は、通常近代的個我の確立と平行した現象と解釈されることが多いが、少なくとも潜在的には、キリスト教思想の内部に、生得的にそうした構造が孕まれていたと見るべきだろう。

ひるがえって、自然が人間に与えられた住処であるという発想は、上記の「理解可能な自然」と重なって、人間の自然支配という近代特有の感覚を育てた。「理解された」自然、つまりは、合理的な秩序のなかにあることを把握された自然は、人間の住処として、もし不都合があれば、その秩序にしたがってではあるにしても、人間がよりよい状態へと改変していくことができるのではないか。F・ベーコンは自然の秩序に則《のっと》りながら、しかも通常は自然の経過のなかでは滅多に起こり得ないと考えられるようなことがらを、人為的に起こさせることを「良い魔術」として定義しているが、これは、同じベーコンの著明なスローガン「知は力なり」と表裏一体をなして、近代の科学と技術との融合をみごとに象徴していると言えよう。

すなわち、人類は自然の合理的秩序に関して「知識」を得ることを介して、自然を制御し支配する「力」を手に入れた。これは、一方から言えば、自然界から「神」を放逐し、人類が神の位置に代わって坐るという主権の交代現象（私はそれを別の機会に「聖俗革命」と定義した）を意味しているし、中世から近代への移行は、まさしくこの神と人の主権争いにおける人間の勝利として規定される傾向にあることは否めないが、しかし、視点を換えてみれば、実は、神の占めていた座に人類が坐るということは、自然の構造の革命的変化を志向するものではなく、むしろ、キリスト教的な自然観は、構造としては相変わらず完全な形で保持されていたと見るべきであろう。

誰が支配者の位置に着くにせよ——それが神であれ人間であれ——自然は支配され、制御されるべき「対象」であるという思想そのものは、牢固として残されたのである。

こうしてキリスト教思想は、自然界が合理的な秩序のなかに置かれていること、人間は与えられた理性によって自然のなかの合理的な秩序を追究することができ、かつまたその追究を通じて得られた知識を介して自然を自分の都合のよいように制御し、支配する技と力を獲得することができること、こうした近代合理主義と近代科学・技術を根底から支える思想上の基盤を提供することに成功したわけである。もっとも、このような考え方は、近代の「初期」には、これほど露わな形では現われていなかった。

すでに述べたように、近代初期の自然科学者とみなし得るほとんどすべての人びとにとって、キリスト教信仰の直中《ただなか》にあって、そこからの脱出や、それとの思想的軋轢《あつれき》は、まったく問題にならなかった。彼らは、自分たちが、自然の中にひそんでいる神の意志と計画とを、自分たちの理性を使って一つずつ白日のもとに露わにしていくことを、神の栄光を限りなく賛美することの一つの表現であるとさえ考えていた。

次のガリレオのことばは、そのことを如実に語っている。「神の言葉は、聖書のなかに展開されているのとまったく等しく、自然のなかにも展開されているのである。神は自らの姿を、聖書のなかに現わし給うのと同様に、自然のなかにも現わし給うのである」。もちろんこのことばさえ、当時の神学者たちの間には、「汎神論」的に映ったことは否めない。それがブルーノを焚刑に追いやりガリレオの思想が危険視された原因の一つであった、という点はたしかに事実であろう。

しかし、このガリレオのことばに象徴されるように、近代科学の創始者たちの自然追究は、神のことばを自然のなかにもとめる、という動機を、その根底の基盤としていた。F・ベーコンが「知は力なり」と叫んでも、その力は、まだ抽象的な意味がつよく、自然追究によって得られた「知」は、人類のために、人類の手のなかに委ねられたものという意識は希薄であった。

このような、神の手に仮託された自然についての知を、人類のために、人類の手のなかに帰属させようと図ったのは、十八世紀のいわゆる啓蒙主義思想であった。このことの功罪は、慎重に考えなければならない問題である。

2 キリスト教からの科学の「離脱」

一六八七年にニュートンの『プリンキピア』が発表され「世界は明るく」なったが、このニュートンの運動力学のもつ意味をいち早く悟り、その啓蒙に力を尽したのは、大陸からイギリスに留学していたヴォルテール（一六九四—一七七八）であった。当時のイギリスには、政治思想として近代原子論の影を色濃く背負っているジョン・ロック（一六三二—一七〇四）があり、個人の権利に立脚して国家、社会からの支配や制限を徹底的に排除しようとする「個体主義《インディヴィデュアリズム》」（あとでも触れるように、インディヴィデュアルということばの語源となるラテン語のインディヴィドゥウムは、ギリシア語のアトムの直訳形である）もまたヴォルテールの強い関心を惹《ひ》いた。

いずれにせよ、ヴォルテールをはじめとする初期のフランス啓蒙主義思想は、ニュートン力学の大陸への紹介という仕事に挺身《ていしん》した。しかし、彼らは、ニュートン力学に対する絶対的な信頼をもってはいたが、もはや、前世紀の科学者たちのように、そうした自然界の合理的な秩序を、神のことば、神の理性、神の意志として受け取ろうとはしない傾向のなかにあった。フランス啓蒙思想家のすべてが無神論者であったわけではないが、彼らは、期せずして、科学的な知識を神の手から人間の側に引き戻すことを意図していた。

彼らにとっては科学の実用化、通俗化こそが、まさしく「啓蒙」の意味として受け取られた。一つには、十七世紀の科学者の体系構築の仕事に対して、十八世紀啓蒙主義的科学者は、すでに構築された体系――とりわけその模範はニュートン力学であった――が、いったいどこまで広い適用範囲を求めることができるか、つまり、新しい体系を、さらなる成功へと導くため、新しい事実群の蒐集に大きな関心を抱いていた。すなわち、自然科学の帝国の版図の拡大である。

だからこそ、フランス啓蒙主義者の大半は、「百科全書派」であり得たのである。しかし百科全書派であるということはけっして自然科学の原理と方法を、百科に及ぼすという点に留まるわけではなかった。百科全書というのは、原理というよりは、むしろ実用的知識である。実用的知識というのは、神の手に委ねられた絶対的な真理というよりは、相対的で偶然的な、しかし功利的で有効な性格を賦与されている。

すなわち、十八世紀啓蒙主義の時代になって、人類は、はじめて、自然科学を、本当の意味で自分自身の功利のために用いる、という態度を手に入れたのではなかったか。

前述のようにキリスト教思想のもつ構造のなかに、人類の知が自然を支配する力となるという要素が内包されていることは確かである。しかしながら、それは理念の問題としてであって、それが現実の問題として姿を現わしたのは、反宗教的感情のきわめて先鋭的であった十八世紀啓蒙主義をもって嚆矢《こうし》とすると言ってよい。

それに伴って、当然のことながら、科学・技術によって人類は着実に進歩していくという進歩思想が生まれてくる。マルキ・ド・コンドルセ（一七四三―九四）に象徴されるように、未開社会から今日の状態を通じて、より理想的な社会へと、人類社会の歴史は漸進的にではあるにせよ、確実によりよい方向に向かって前進を重ねている、という確信がそれである。言うまでもなく、この確信を支えているのは第一には科学・技術が人類社会にもたらす巨大な福祉であり、第二には、ロックの延長上にある個人の権利意識の拡大とそれを具現化する社会の改革であった。

コンドルセの最期は、自殺という不幸な結末を伴ってはいたが、彼がフランス大革命にコミットしたのは、まさしく、こうした楽観主義に基づいた行動であったろう。事実、フランス大革命が、科学・技術に対して寄せた楽観的信頼は、エコール・ポリテクニーク設置をはじめとするさまざまな科学技術振興政策に鮮明に表われている。

こうした社会の進歩史観が、やがては十九世紀のオーギュスト・コント（一七九八―一八五七）の社会学やマルクスの歴史思想を見透すことになるわけではあるが、しかし、では、このような発想を担った思想家たちが、反宗教的感情を共有していたという事実によって、この進歩史観がキリスト教と無縁であることが保証されるものであろうか。

ここでキリスト教的な思想圏に特有の時間構造に分析の眼を向けねばならない。多くの文化圏が、回帰的な天文現象や季節現象などからの影響で、サイクリックな時間構造をもっているのに反して、キリスト教的な思想圏の時間構造は、著しくそうしたサイクリックな性格のものからかけ離れていると言えるだろう。そもそもキリスト教では明確に時間の始まりが規定されている。神の手による創造の行為がそれである。それと同時に、時間の終わりもまた紛れのない形で定まっている。神の手による審判がそれである。こうして決定的な二つの時間点、始点と終点との間に時間軸が直線的に張られているのが、キリスト教的な時間構造にほかならない。

もちろん他の思想圏にも「終末論」はある。仏教思想における「末法」もその一つである。にもかかわらず仏教における「末法」は、永劫に回帰する時間のなかでの部分としての末法であって、キリスト教の終末観のようにそこで時間がはたと断ち切られるべきものではない。キリスト教の終末は、その先にまったく時間の延長を予想させないような種類のものであると言うことができよう。

こうして始点と終点が定められ、その間に張られた時間軸の上を、人類は、神の手に操られながら、神の計画の実現のために、一回限りの大ドラマを展開するのである。もとより、キリスト教的終末は、同時に、神の手による「救済」でなければならない。いかに「審判」が「怒りの日」であろうと、それが神の正義の体現する日である以上、そこには正しい救いがあるはずである。

その救いとはどのような種類のものであるのか。ユダヤ人たちは、当時キリストに「救い」を期待した。そして彼らは裏切られたと感じた。ユダヤ人たちがキリストに期待した救いは、キリストによっては果たされなかった。ユダヤ人はその意味で今日でも「救い」を待っている。しかし、実は、近代科学・技術と近代政治思想とがもたらしたものは、ユダヤ人たちがキリストに求めた「救い」と少なくとも表面的には重なっているのではないか。

次のように言い換えることもできよう。

キリスト教的な「救済史観」は、歴史上の時間軸としては、一回限りのリニアーな時間構造を前提としている。その終点に見透されているのは、人類全体の神の手による「救い」である。

だが、近代啓蒙思想家たちにとって、まったく同じ、一回限りのリニアーな時間構造の終点に見透されるのは、神の手による人類の「救い」ではなく、人類自身の手による人類の「救い」ではなかったか。神はもはや、人類のドラマを導く主人としての位置を失ったと思われた。その主人の位置につくのは、再び、人類自身となった。科学・技術の革新と、政治的革命とは、人類をあらゆる貧困、病苦、不幸等から解放し、やがては至福のユートピアがわれわれ人類の未来に開かれていることになる。その救いの日は、人類の努力のなかで達成される。

このような発想が十八世紀後半以降に特に顕著に現われるのは、十七世紀のキリスト教的な科学者たちの未来観が、むしろ「此岸《しがん》」という面で言えば、ペシミスティクであったのと著しい対照をなす。たとえば、ニュートンの生涯の仇敵となったR・フックは、地質学や、考古学などの分野にも、旺盛な好奇心と鋭い洞察力を示して、その種の学問分野に先駆的な開拓を成し遂げた人物であるが、彼の描いた「地球の歴史」に関するもろもろの議論は、十七世紀から十八世紀前半にかけては一様に、一つの、われわれからすれば奇異に感じられる共通了解事項をもっていたことを示している。それは、地球が人類の住処として神から与えられたものであるとして、その地球の状態は、人類の状態にふさわしいように、神の手によって改竄《かいざん》されてきている、というアイデアであった。

言うまでもなく、キリスト教思想のなかでは、人類は、堕罪に到るまでは、神とともに天国の至福を享楽していたと考えられている。最初の堕罪は、「原罪」という形で、人類を最後の日まで縛り続けることになった。その後も、神は人類の堕落を怒って、幾度か懲罰を下している。バベルの塔、ノアの洪水などの事件がそれに当たる。しかも、地球の歴史は化石その他の証拠が示すところでは、たしかに過去に何度かのカタストロフィを経験してきているもののように思われる。そうしたカタストロフィは、たとえば、かつて天国の状態として神が地球を人類に与えたときには、酷暑酷寒もなく（つまり地軸が太陽に対して傾いていることもなく）、理想的な気候の状態であったものを、人類の堕落にふさわしく、そうした状態を不完全で苛烈な状態に変える（具体的には地軸を傾けること）、という形で現実に、地球の歴史のなかに、残されたと考えられたのである。

そして、この近代初期の科学者たちは、人類は、さらなる頽廃《たいはい》と堕落とを繰り返し、地球の状態自体もさらに苛烈になって最後の日を迎えるだろう、という感覚を強くもっていたように思われる。「救いの日」はけっして明るい幸福なイメージとしてではなく、怒りと審判のイメージとして、彼らの眼に映っていたと言ってよかろう。

しかし、十八世紀の、神と一旦縁を切った啓蒙主義者たちにとって、キリスト教的な時間構造はそのままに、しかし、「救い」のイメージのみが、すっかり変わってしまった。未来は、もはや「暗い」深淵ではなく、自分たちの努力によって造り出すことのできるバラ色の内容を人類に約束していた。啓蒙主義者たちが、自然科学を通俗化し、世俗化したということの本当の意味は、まさしくここにあったのである。言い換えれば、「救い」の世俗化こそ、啓蒙主義の達成した最大の仕事であった。

しかし、すべての啓蒙主義者が、そうした営みのなかで、キリスト教の思想枠から離れて、楽観的に未来を想い描いていたわけではない。たとえばジャン・ル・ロン・ダランベール（一七一七—八三）の次のことばを何と読むべきであろうか。

「自然科学は日に日に新しい富を蓄積するし、幾何学は自らの領域を拡大することによって、隣接する物理学の分野に光明をもたらした。世界の真の体系がついに発見された。……要するにこの地球から土星まで、天体の歴史から昆虫の歴史まで、あらゆる点で自然科学は革命を被った。そして、それとともにその他のすべての科学も新しい様相を呈し始めた。だが、自然科学によってもたらされたこの精神的昂揚は、自らの枠のなかで止まらなかった。それはあたかも奔流のように堤防を破壊し、あらゆる分野にほとばしり出た。世俗的学問の原理から啓示の基礎にいたるまで、形而上学から趣味の問題まで、音楽から道徳まで、神学者たちのスコラ的論争から経済的問題まで、自然法から実定法まで、要するにわれわれに最も直接関係するもろもろの問題から、まだ当面は間接的に関係するだけの問題まで、あらゆる問題が議論され、分析され少くとも論及された。多くの対象のうえに投げかけられた新しい光明、それとともに発生した新しい暗黒、それがこの精神の普遍的運動の果実であり成果であった。それはちょうど潮の干満の作用が多くのものを海岸に打ち上げ、他の多くのものを運び去るのに似ている」(カッシーラー『啓蒙主義の哲学』中野好之訳、紀伊國屋書店、一九六二年、五六頁、僅かに改変)。

啓蒙主義の旗手ダランベールが述べたこのことばを、近代科学・技術の高らかな勝利の謳歌ととることは易しい。しかし、このことばには、二つの重要な点が見てとれる。第一には、近代の科学・技術が、すべてのものを呑み尽す狂暴とまで言えるような拡散力をもっていることをダランベールは予知していたことであり、第二に、それが「富」と「光明」とを与えてくれると同時に、「新しい暗黒」をもたらし、多くのものを与えると同時に多くのものを人間から奪い去るものであることを彼は予知していたことである。

この点に近代の啓蒙期以降の人びとが、もっと重点を置いていたら、われわれの今日は現在とは違っていたかもしれない。

しかし、他の多くの人びととは、キリスト教思想と自然科学との守備範囲に一線を画することを通じて、近代化は達成され得ると信じ、しかも、近代化イコール善という価値図式のなかに、キリスト教思想のもつある特殊な構造が、グロテスクなまでに拡大されて投影されていることに気づかなかったのである。

3　現代への示唆

これまで、ヨーロッパ近代の自然科学・技術を支える思想のなかに、キリスト教の構造が相当部分含まれていることを見てきた。第一にはこの自然が神の作品であり、人間が神の似像《imago Dei》として神の理性の模型《ミニアチュア》であるとすれば、人間が少なくともある程度自然の神秘を理解できないはずはない、という確信がそれであった。ヨハネス・ケプラー（一五七一―一六三〇）、ガリレオらはもちろん、デカルト、バールーフ・デ・スピノザ（一六三二―七七）、ゴットフリート・ヴィルヘルム・ライプニッツ（一六四六―一七一六）ら純然たる近代合理主義思想においても事態はまったく変わらなかった。スピノザの「神はすなわち自然である」《Deus sive natura》ということばは、それを語って余りある。

第二には、理解された自然という前段の過程の上に立って、人間の住処として与えられた自然をよりよく改良していこうとする支配・制御の感覚であった。そしてこの支配・制御の感覚のなかには、第三のキリスト教的な時間構造もからんでくる。この第二と第三の局面は、どちらも非常に鋭く「世俗化」を志向するものであって、通常は、ヨーロッパ近代精神がキリスト教の枠組から離脱したことを証明する顕著な現象として受け取られることが多い。しかし、すでに明らかにしたように、それはかならずしも「離脱」ではなく、構造自体は変わることなく、表層部の交代変化があったとも考えられる現象なのであった。

もとより、これが、キリスト教と近代科学との関連について言うべきすべてではない。ただ、今後の問題解明のために、最低限認めておかねばならぬ論点というにすぎない。しかし、これだけの論点を抑えたときに、そこからいったい何が言えるだろうか。

第一の論点から始めよう。近代合理主義のなかに孕まれたキリスト教思想の構造の一部は、理解する人間と理解される自然とのダイコトミー（二分法）であった、これは、主体と客体との分化と呼んでもよい。一方においては個我の成立を、一方においては「客観性の公準」（ジャック・モノーのことば、渡辺格・村上光彦訳、『偶然と必然』みすず書房、一九七二年、参照）を意味しているこの主体と客体の分離は、しかし一つの重大な論理の局限をもっている。

すなわち、人間自身の分化である。主体というときそのことばを担うのは言うまでもなく「人間」であるが、そのときの「人間」は「人間一般」ではなく個々の生を背負った人間一人にほかならない。それが言わば裏から見た「個我」でもある。しかし、その個我以外の人間一般は、この図式のなかでは、完全に客体化されてしまう。デカルトは、人間にのみ「思惟」を認めることによって、人間＝主体、自然＝客体を暗黙に支持したが、このような論理は、結局のところ、ある一つの局限を予期しなければならない。「思惟」を客観化することの不可能性からくる「人間一般」の客体化がそれである。

それがかならずしもいけないとは言えない。人間一般が客体化されたおかげで、人間に関する「客観的知識」の蓄積は厖大《ぼうだい》なものになったし、そうした蓄積のなかから、近代ヨーロッパ医学の基本線も立ち上がり、多くの人命がそれで救われている。

ただ一つの問題があることを指摘しないわけにはいかない。「東洋医学は病人を癒し、西洋医学は病気を癒す」という諺《ことわざ》がある。この対照はいささか安易にすぎるが、一面の真理を含んでいることも事実である。ヨーロッパ近代の医学が、人間を対象化し、客体化する限り、病気とは、物質系の故障にすぎず、それゆえまた、故障部分はどんな手段を使っても——たとえば、要《い》らなくなった他人の臓器と取り代えたり、機械によって代行しても——ノーマルな状態に戻せばよいことになる。病気が、人間という個我の、つまりはそういう二分法のなかでは「主体者」のもつ「苦しみ」である、という局面はともすれば忘れられがちになる。

別の言い方をしてみよう。この局面ではっきりと見てとれることは神を含む全世界から始まって、神と被造物とが分離され、被造物のなかで、人間と他の自然が分離され、人間自身が主体と客体に分離される、という現象、言い換えれば、世界から主体がつぎつぎに剝離《はくり》し、客体の世界が拡大し、主体の世界が個我へと縮小していくという現象が起こっていると いう点である。この分離もしくは人間の縮小の方向が、ヘブライの「選民思想」にも現われていることは、けっして偶然ではない。ユダヤ民族のみが「選ばれた民」である、という考え方のなかには「人間」をどこまで縮小するか、という方向への志向性がはっきりと読み取れる。ヒューマニズムの翻訳は「人本主義」だが、そのときの「人」とはいかなる概念であるか。近代ヨーロッパ思想のなかではその点が不問に付されていた。

しかも、論理的可能性としては、すでに述べたように、この「人」は、最終的に「個我」にまで縮小され得るのである。逆に言えば「客観」の世界がわずかに一人の「主体」を残すまでに拡大してしまい得るのである。白人中心主義、ゲルマン民族中心主義などは、この論理の狭間《はざま》に、許容されたものではなかったか。

第二の論点は「知」を力とする人間の自然支配であり、少し煽情的な言い方をすれば人類帝国主義であり、この局面には人類の人類の手による救済という、第三の論点が絡んでいた。

再びこれらの論点が、ただちに近代合理主義の罪過とつながるとは言えない。現在の日本の状況に徴して考えても、むしろ、人類がいかなる決意をもって、すなわち強力な意志力をもって、自然を人類の福祉のために支配し制御するか、という発想の欠如こそ、今日のわれわれの置かれている難局の原因であるとさえ思われる。

たとえば、日本の自然保護、環境保全の理念となっているのは、きわめて守旧的、保守的な自然観である。曰《いわ》く、三十年前の空の青さを取り戻そう、五十年前の隅田川の水に戻そう、といった具合である。あるいは、せめて現状を壊さないようにしようといった具合でもある。そこには、未来を支配しようとするわれわれの積極的な見取図もなければ、こうあるべきだという理想もなく、当然のこととして、その理想を実現していくための意志的な青写真もない。かつてのオランダの自然造りや、今日のイスラエルの自然造りのような、われわれ自身の未来への理性的かつ意志的な参画がほとんど感じられない。ただ、過去の歴史上のある時点での自然の様相に対する懐旧的なあこがれがあるだけなのだ。

そこには、本当の意味で、自然が人間とのかかわり合いのなかで、すでに何十万年の歴史はどのように変わってきたか、言い換えれば、自然とは、箱庭のようにある状態のなかに保存できるようなものではなく、人間の存在そのものが、すでに自然を「自然」ではなからしめ、「人為」たらしめていることに対する透徹した自覚がまったく欠けている。もう一度言い換えれば、自然とはつねに人間の働きかけのなかで、初めてある状態を保つこともできれば、別の状態に変えることもできるのであって、人間の手を離れた何か理想的な、あるいは理念的な「自然」などがあるわけではない。

そして、このような日本人のもつ守旧的な自然観の基礎には、あるいはヨーロッパの思想構造のなかにある人間と自然との徹底的な分離作業の洗礼を受けなかったことからくる一種の「前近代性」があるのかもしれないとさえ言いたくなる。

こうしたわれわれの特有の状況を脱却するためには、むしろわれわれとしては、いい加減な近代合理主義批判に――ということは、ある一面でのキリスト教的思想構造の批判に――安易に組することは、大きな危険を伴うという警告は、それなりに充分説得力をもっている。

それと同時に、第三の論点にもからんで、自分たちが、自分たちの手で、人類の救済のために、将来の展望を設計し、その設計を実行に移すための意志的な、ねばり強い努力を積み重ねていくこと自体が未来に参画するのだという意識はそれだけでは何の力にもならないが、その意識を土台として、現在に関する「知」を「力」として、未来を設計し実現していくのは、それが、最終的に、キリスト教の救済と重ならないとしても、人類の世俗的「救済史」にとってはきわめて意義のあることである。

すでに近代合理主義の「恩沢」を受け取ってしまったわれわれが、その欠点をあげつらうことはむしろ易しいが、その「成果」をわれわれ以外の、まだそれを受け取っていない人びとから取り上げてしまう権利はわれわれにはない。その意味で、現下に苦しんでいる人びとと、虐《しいた》げられている人びとに対して、われわれのもっている手持札を使おうとすることは、けっして忌むべきことではないだろう。それは、キリストの救いと重ならなくとも、矛盾はしないはずだ。

ただしかし、すべての問題が、ここにきて一点に収斂し始めるのを私は感ずる。キリスト教思想を背景とした近代合理主義の第一の問題点は、人間の概念の縮小化であった。客観的世界の拡大に対してのカウンター・バランスとして、人間は、論理的には個我一人に縮小されてしまう可能性をもっていた。第二の問題点では、人類の自然支配そのものが問題というよりは、いかなる人類の未来を構想するか、という青写真と、その青写真を達成するためのプログラムが問われることになった。そして第三の局面でも、人類の「世俗的救い」とはいったい何であるべきなのかという点こそが問題となることが明らかになった。

少なくとも、以上の近代合理主義の三つの局面が、今日われわれに迫っているのは、ラッダイト運動のような非生産的な守旧主義、もしくは前代否定の覆滅プログラムではなく、「人間」とその存在価値に対する判断原理の変革なのである。

もちろん、そうした原理がただ立てられたからといって、それで社会が変わるわけでもなく、人類の状況が変わるものでもなかろう。ただ、一つ言えることは実は人類は、過去の歴史のなかでも変わり続けており、人間なるものが価値基準においてまったく変化を被らない存在であるというのは、たんなる神話でしかないという点である。人類は、その生物として適応力をもって今日まで生き続けてきているのである。その意味で、われわれはたしかに変わり得る存在なのである。

そのことを前提とした上で、先の収斂点が目指す新しい判断の原理は、どういう方向を志向すべきか。私はただある種の予感をここで訴えることしかできない。それはまだきわめて曖昧で、あやふやなものである。しかしそれは、かつて、近代合理主義が、キリスト教のなかからその重要な判断基準やその思惟構造を自分のものとして吸い上げその部分的拡大のなかに自らを築き上げていった歴史のひそみにならって言えば、やはりキリスト教の思想構造のなかに見出さるべきものである。それゆえにこそ、近代ヨーロッパとその延長の科学・技術をも包み込むことができ、しかも、ユニヴァーサルになり得るものである。

一言でいえば、「人間の拡大」がそれである。すでに述べたように、主観と客観を分離し、客観の世界を拡大し、主観を縮めていくことに、近代科学の論理構造の基礎があった。その成果と問題点も、すでに見た通りである。しかし、われわれには、それとは逆の方向を試みる可能性が残されているのではなかろうか。

そのヒントはキリストのことばのなかにある。

あの「善きサマリア人の喩え」を想い出して欲しい。あの喩えのなかでキリストは、ユダヤの選民思想に対してはっきりと叛旗を翻《ひるがえ》した。「救われる」のは、ユダヤ教の導師《ラビ》でもなければ、行ないすました律法学者でもない。ただ、「愛」を行為として実践した人のみが神の愛子なのだ、という強い主張がそのなかにあった。

このことから導かれる重要な点が二つある。一つは、ここには「人間」の拡大の思想がある。「人間」と呼ばれるべきものの限界を、どう拡げていくことができるか、という発想がある。そして、第二には、「人間の拡大」に当たって、その基礎となるべきは「愛」だという点である。その証《あか》しは局限された人間への愛では立てることができない。自分自身や自分の妻や、自分の夫や、自分の子供は誰でも愛する。しかし、自分とはまったく切り離された、つまりは「人間」として訴える力を欠いている対象に対しても、自分を愛する（つまりは「人間」を愛する）のと同じように愛すること（つまりは「人間」たる対象を拡大していくこと）こそ、キリストの求めた愛の証しであった。

キリスト教の思考枠のなかでは、その拡大はいかに広汎に行なわれたとしても、生物学的人間がその限界かもしれない。もっとも人間の生物学的定義が、さして問題にはならない時代が——たとえば、地球外生物の発見によって——来るかもしれないが。けれども、その限界は、むしろ積極的に壊してもかまわないのではないか。被造物一般に対する「愛」にまで、「人間」の拡大が進んだときわれわれ人類は、自然を征服によって支配するのではなく、互恵によって制御する新しい知の力（科学・技術）を獲得したと言えるのではなかろうか。

歴史のなかにわれわれは、その予表を見ることができる。アッシジの聖フランシス（一一八二頃—一二二六）がそれである。彼の愛は、小鳥や野の花にまで及んだ。自然はすべて彼に「随った」と言われている。一つの引用文を左にかかげて、この小論を結ぼう。それをどう判断なさるかは、かかって読者の側にある。

「フランシスを理解する鍵は、個人としてだけではなく類としての人間に対する謙遜の徳への信念である。フランシスは人間の被造物に対するその専制君主の地位を廃位し、神のすべての被造物の民主主義を築こうとした。……アペニン山脈のなかのグッビオの周りの土地は、どう猛な狼によって荒廃させられていた。伝説の伝えるところでは、聖フランシスは狼に語りかけ、かれらのやり方の誤りであることを説得したという。狼は後悔し、死ぬと聖者の香りを放ち、聖別された土地に埋められたという。……技術と科学の成長はキリスト教の教義に深く根差す自然への特定の態度というものを度外視しては歴史的に理解できないものである。多くの人びとがこれらの態度をキリスト教的なものと考えないという事実は無関係である。われわれの社会ではキリスト教の基礎的な価値にとって代るべき新しい価値は一組たりと認められたことはない。

……西欧の歴史上の最大の精神革命、聖フランシスは、かれが自然および自然と人間との関係についての、もう一つ別のキリスト教的見解と考えたものを提案した。かれは人間が無際限に被造物を支配するという考え方にかえて、人間をも含むすべての被造物の平等性という考えをおこうと試みた……」(リン・ホワイト『機械と神』青木靖三訳、みすず書房、一九九九年参照、この邦訳では九三—九六頁に相当)。

第II部

第3章　科学的知識と信仰との異同

植木屋の譬え話

むかしむかし、二人の探検家が密林のとある開墾地にやってきました。その開墾地には、たくさんの花や草が茂っていました。探検家の一人が言います。「誰か植木屋がこの一画を手入れしているに違いない」。もう一人の探検家は、こんな奥地にそんな植木屋がいるはずはない、とこれに反対します。そこで二人は、どちらの言い分が正しいかを確めるために、テントを張って監視することにします。植木屋は幾日経っても現われません。「それじゃ、眼に見えない植木屋なのだろう」というわけで、二人はその一画を有刺鉄線で囲い、その鉄線に電気を流します。……しかし、誰かがそこに忍び込んで、鉄線に引っかかったり、感電したりして、叫び声を上げる、などという事態は一向に起こりません。眼に見えない何ものかが、その鉄線をよじ登るために、鉄線が揺れ動く、などということも起こりません。とうとう、最初から疑っていたほうの探検家が、諦めてもう一方に向かって言います。「君の最初の主張にはあと何が残っているのか。君が『眼に見えず、触れることもできず、永遠に感覚では捉えることのできない植木屋』と呼んだものと、『仮想上の植木屋』や『植木屋なんてもともといない』というのと、どう違うのか」。

この譬え話は、神の存在の如何にまつわるものとして、ジョン・ウィズダム（一九〇四—九三）が考案したものである。言うまでもないが、伝統的に、キリスト教神学のなかでは、神の存在を立証する最も見易い証拠として、この世界が見事な秩序のなかにしつらえられていること、そして、そこには当然その秩序の責任者、管理者としての神の存在が顕われていることが指摘されるのであって、神と植木屋とのアナロジーのなかで、その問題が巧みに論じられているのがこの譬え話である。

もちろん、この譬え話は、この自然界における秩序の存在が、そのまま神の存在と証拠とはならないことを示そうとする目的をもって作られたものであるが、それに加えて、その裏にもう一つの意図が暗黙の裡《うち》に隠されている。

それは、自然科学的な知識は、このような神の存在の間接的な（しかも実際上論拠をもたないような）証明とは違って、本当に実際に確められた事実からのみ形造られている、という主張である。

自然科学での実際の話

話が少し細かくなるが、近代的な生理学が確立される前、ギリシア以来の伝統的な人体生理学理論によると、人間の心臓において、左心と右心とを隔てる「心室中隔」には、小さな孔《あな》が開いていて、血液は、自由に左心と右心との間を往き来することができる、と考えられていた。

今日のわれわれは、左心の血液がつねに動脈血であり、右心の血液はつねに静脈血であること、言い換えれば、左心と右心とは、強靱な心室中隔という組織によって厳しく隔てられており、静脈血と動脈血とは、心臓中ではけっして混り合わないことを知っている。このようなギリシア的伝統のなかでの錯誤が、何に由来したものか、今となっては推測する以外にはないが、爬虫類などの心室中隔には孔の開いているものがあり、人間の胎児もまたその成長の一過程で、心室中隔が不完全な時期がある――それがふさぎ切れずに生まれると、先天性心室中隔欠損症となるわけである――ことなどからの臆断ででもあったのだろうか。

とにかく、ギリシア以来、十六世紀終わりまでは、生理学者は、人間の心室中隔には孔があって、左心と右心とを連絡している、と信じていたのである。

十六世紀に活躍した解剖学の大家、アンドレアス・ヴェサリウス（一五一四―六四）も、そうした医学者の一人であった。彼は当時の医学者としては珍しく、組織的に解剖を行ない、その結果を克明な図譜として描述し、それをまとめて『人体構造学』という書物にして出版し、この書物は、解剖学史上画期的なものと今日でも言われている。

そのヴェサリウスのメスは、当然、心臓の心室中隔にも及んでいる。そして、彼は、心室中隔を克明に調べたけれども、どうしても昔からあると信じられてきた孔を発見することはできなかった。

そのときヴェサリウスのとった態度は面白い。彼は、自分が心室中隔に孔を発見しなかったことを以て、孔の存在を否定する証拠とは看做《みな》さなかったのである。彼は次のように書いた。「どうしても眼によっては孔を発見することができないのに、そうした組織に微妙な仕掛けを造って、左心と右心とを連絡させている神の造化の力の偉大なることよ」。

神の名が呼ばれたのは、行きがかり上のことであるとしておこう。ここでの論理は整理をすれば、非常に簡単になる。すなわち、「見える孔は存在しない。ならば見えない孔が存在するのであろう」というのがそれである。

この論理は、結果を知っている、つまり孔が存在しないことを知っているわれわれにとっては、きわめて愚かしく、ナンセンスに聞こえる。ではもう一つ例を出してみよう。

誰が素粒子を見たか

「誰が風を見たでしょう」という詩の一節をもじって「誰が素粒子を見たか」と問うてみよう。

科学者ならたちどころに、泡箱、宇宙線の写真、ガイガー・カウンターなど、素粒子の検出のためのさまざまな現象や装置を、一ダース以上挙げてくれることだろう。しかし、それで素粒子を見たことになるのだろうか。

われわれは素粒子を見ることはけっしてない。われわれが実際に見るのは、泡箱写真における型の線であったり、宇宙線に曝《さら》した乾板上のある型の線であったりはするが、言うまでもなくそれらは、素粒子ではない。

実はここには、予想以上に深刻な問題が潜んでいる。通常、量子力学の「観測の問題」と呼ばれているものがそれである。素粒子の振舞いは一般に量子力学のフォーミュレーションで記述される。量子力学のフォーミュレーションでは、対象となる物理系の状態は、確率１で同定できるような形では、本来記述されない。ある時刻における質点の状態が、位置と運動量を与えることによって、確実に確定できる古典力学のフォーミュレーションとは違って、量子力学では、ある時刻における物理的な系の状態は、確率的な様態でしか記述できないからである。

ところが、われわれが観測する対象は、泡箱写真にせよ、他のあらゆる装置にせよ、最終的には、人間の眼による識別を経て確認されるものでなければならない。そして、そうした「巨視的」な装置の状態は、ある時刻においては、確率1で決まっていなければならないはずである。たとえばあるメーターの針の位置がある時刻において、二つの場所を確率的に占める、などということは、起こってはならない。

とすれば、われわれは、素粒子の振舞いを観察するに当たっては、その振舞いと何らかの形で相互作用をする巨視的な観測装置の状態を観測する以外に、その手段をもたないわけであるが、いったいどこに、確率的な記述から確定的な記述へと移り変わる分かれ目があるのだろうか。

これがいわゆる「観測の問題」と呼ばれるものの一般的な言い方である。

この問題は、それ自体は、量子力学のフォーミュレーションのもつ確率的な性格に根差した特殊な問題であると言える。けれども、この問題を成り立たせている背景はもう少し一般的であって、われわれの問題に直接響いてくる。

われわれは、この例を通じて、どんな手段を講じても、「見る」ことのできないようなものの存在を、間接的な方法で認定する、ということが、自然科学において、堂々と行なわれていることを認めなければならないのである。

さて以上、三つの例を今挙げたわけである。第一は、植木屋の譬え話に象徴される神の存在の問題、第二は、ヴェサリウスに見られた「見える孔がないのであれば見えない孔がある」という論理、第三は、原理的に「見えないはずの素粒子の存在」を、現代物理学は何の躊躇もなく認めているという事実。

第一の例は、人びとの評価が通常は二分されるところである。二人の探検家のように、一方は、それが見えない神の存在の証拠と受け取り、他方は、神など存在しないことの証拠と受け取る。第二の例は、事実的な面で言えば、ヴェサリウスの誤りであった。心室中隔には、孔はないのである。ではあの論理自体が間違っているのか。第三の例では、現代科学を受け容れている文化圏では、ほとんど盲目的に、それが正しいことは認められていると言える。

すでにこれまでの記述が示しているように、上の三つの例で、起こっている事態の構造はまったく同じである。しかしそれではどうしてこのようなさまざまな結果が生じるのであろうか。

「見える」ことが「存在する」ことか

「ここにペンがある」という命題を考えてみよう。この命題の真偽、つまり、ペンの存在の当否はどのように決定されるであろうか。この問いは、ほとんど無意味のようにさえ聞こえる。なぜなら、それは、実際に「ここにペンが見えるか、見えないか」によって決定されると思われるからである。

「ここにペンがある」という命題と、「ここに素粒子がある」、あるいは「ここに神が存在する」という命題とは、それゆえ、それらの命題が、実際の観察によって確認できるかどうか、というところで、決定的に異なっているかのように思われる。

そこでまず「ここにペンがある」という命題から考えてみよう。果たして「ここにペンがある」という命題は、「観察」によって確認できるであろうか。いや、そもそも「観察」によって確認するというのはどういうことなのであろうか。

私が今机の上にペンらしきものを見たとする。いかにもそれはペンらしい。それだけですでに、「ここにペンが存在する」という存在命題は、肯定されたと言えるであろうか。けっしてそうではない。私が見ているものは「ペンらしきもの」にすぎない。私に見えているのは、その「ペンらしきもの」のこちら側だけである。向こう側がどうなっているか、それさえもさだかではない。

　では、その「ペンらしきもの」が「ペン」であるためには、ただそうした感覚刺戟を受け取る他に、どういうことが行なわれなければならないのであろうか。

　そこで「ペンとは何か」という問いに答えなければならない、という条件が浮かび上がってくる。「ペン」が備えているべき要件、言い換えれば、「ペン」という概念の意味が、私に理解されていない限り、私は、「私はここにペンを見る」という命題を言い立てることはできないのである。

「ペン」は、インクを使って書くことができなければならない。しかしインクを使って書くことのできるものがすべて「ペン」ではない。「筆」と「ペン」とは通常は違うとされている。では「ペン」とは、その書くための部分が、ある程度以上の細さと堅さとを備えているもの、としてみようか。しかし、では「インク」とは何なのか。

　こうして、「ペンとは何か」、あるいは「ペン」という概念の意味は何なのか、という問いは、けっして、あるところできちんと終わるような「閉ざされた構造」をもっているものではなく、ほとんど無限に近い数の答えの連鎖をひきずり出す、「開いた構造」をもった問いと言わなければならないことになる。

　もちろん「Xとは何か」という問いに対する答え方は、ここに述べたような性質のものばかりとは限らない。たとえば「惑星とは何か」という問いに対して、上と同じように答えるとすれば、「太陽の周囲を楕円軌道を描いて回転する天体であって……」ということになるが、当然この答え方をとる限り、この問いは、「開いた構造」をもっている。

けれども、「惑星とは何か」という問いに対して、「水星、金星、地球、火星、木星、土星、天王星、海王星である」と答えたとすれば、水星や金星とは何か、という問いが残るにしても、それらはすべて「概念」ではなく、「固有名」と言えるから、このような答え方に対しては、「惑星とは何か」という問いは「閉じた構造」をもっていると言ってよかろう。

この場合のように、ある「概念」を扱うのに、その「概念」が被うすべての成員を一つ一つ枚挙する形をとることがあるが、普通、そうした方法を「外延的」と呼ぶ。これに対して、先に述べたように、その「概念」が孕んでいる「意味」を規定していこうとする方法は、「内包的」と呼ばれる。

そこで、「概念」の被う成員の数が有限個である場合には、われわれは、その概念を定義したり、あるいは、ある観察対象がその概念の中に含まれるかどうかを決定したりすることは「外延的」な方法にたよることができ、それゆえ、事態はかならずしも「開かれ」てはいない、と考えることもできるかもしれない。

けれども、ここには二つの問題がある。第一には、通常の「概念」では、その被う成員の数は、事実上無限ではないか、という問題がある。なるほど「惑星」という概念に属する成員は、先述の八個の天体以外にはない（かならずしもそう考えられていない時代もあったにせよ、少なくとも今日ではそうである)。しかし、「犬」という「概念」は、過去、現在、未来を通じて、存在し存在するであろうすべてのイヌ――ポチやシロやスヌーピーや……すべての固有名をもつ個体――の数は、原理的に言えばどれほど多数ではあっても有限個と考えられるにせよ、しかし事実上は無限としか言いえないだろう。

したがって「犬とは何か」という問いは、仮にこれに「外延的」に対応するにしてもなお、事実上は「開かれて」いると見なければならない。

第二に、一歩譲って、「犬とは何か」という問いは、「外延的」に考えようとする限りは、「惑星とは何か」という問いと同様に、原理的には「閉じて」いるかもしれない。しかしわれわれの問題は、「ここに(一匹の)犬が存在する」という命題の真偽を定める手段として「私は眼前に一匹の犬を見る」という観察命題を採用することでよいかどうか、というところにあったのであり、「私」が今眼前に見ている一匹の犬が、自分の飼い「犬」であって見馴れているシロであるならばとにかく、なんらかの対象を「一匹の犬」であると見る、ということには、どういう手続きが必要なのかが問われることになる。つまり、そこでは再び、「犬とは何か」、「今眼前にある対象は、犬に属するものかどうか」という問いが残されるのである。

もちろん、このような問題は、古くはプラトンのイデア論に始まり、中世の唯名論論争を経て、今日にまで到る、長い考察の歴史がある。今ここでその細部に立ち入ることはできないが、しかし、われわれは、「今私は眼前に一本のペンを見る」という観察事実（の報告文）が成立するためには、それらしき刺戟を受け取るだけでは不充分であることだけは、ここで認めておかなければならないだろう。

「……を見る」と「……として見る」

たとえば初期のバートランド・ラッセル（一八七二―一九七〇）は、このような事態を嫌って、刺戟の束だけから出発しようと試みた哲学者として知られている。つまりわれわれが、もし「ペンを見る」ということのなかに、「ペンらしきものについての視覚的刺戟を受け取る」ということ以上のものが含まれているとする――そしてその点は、上のような分析から考えると不可避の結論であった――と、そのプラス・アルファの部分は、それを「見ている」人間の側の前提とされる知識によってさまざまに変わり得ることになる。

そのような主観の働きに属する部分は、真の意味で客観性を保証してくれるものではない。どこの誰であっても、もし同じ状態にあって、同じ条件下にあれば、人間一般皆が共通に受け取ると考えられるのは、「ペンのような視覚的刺戟を受け取る」というところでしかない（もちろん、ここでペンのようなと言ったのは、便宜的な表現であって、実際には〝ペン〟という語はここでは使えない）のではないか。

そうだとすれば、あらゆる知識の基礎となり、また、「ここにペンが存在する」という命題の真偽を決定してくれるのに必要な最も基本的なことがら《プロトコル》は、「私は今ペンのような視覚刺戟を受け取っている」ということではないか。それが最も基本的命題なのではないか。それに対してプラス・アルファを加えて「ここにペンが存在する」に到るためには、たしかにその視覚的刺戟を受け取っている主体者の判断、もしくは「解釈」という過程が必要であり、その内容は、各人少しずつ異なるということはあり得よう。しかし、「解釈」はあくまで解釈なのであって、解釈される「材料」としての視覚刺戟の束が、その前に存在しなければならないのではないか。

　このような視覚刺戟について語ることばは、感覚与件《センス・データ》言語と呼ばれ、「ここにペンが存在する」という命題を、より基本的《プロトコル》と思われる感覚与件言語で記述された命題に遡行《そこう》することを「還元」《reduction》と呼ぶことがある。

　では、「ここにペンが存在する」という命題の、感覚与件言語で記述された命題への「還元」は、本当に成功するのであろうか。この問いに対する答えは一様ではない。けれども、当のラッセルもまたのちに認めたように、その逆の経過、つまり感覚与件言語で記述された命題（たとえば「私は今ペンのような形の黒く光る視覚刺戟を受けている」）から「ここにペンが存在する」をそのまま再構成することは、すでにみたように、不可能であると言うことができよう。

　そもそも、人間の認識というのは、最初から「解釈」を含んだ形で行なわれていると考えるべきである。まず「感覚与件」があり、次にその「解釈」がある、しかも、その「感覚与件」を与えられることと、それに対して解釈を与えることとの間には時間差《タイム・ラグ》はないのだ、という言い方は意味をもたない。ノーウッド・ハンソン（一九二四―六七）という哲学者は、「〈瞬時的な解釈〉なるものは、哲学者が、自分の依拠する認識論的、形而上学的理論とのかね合いで、冥界から勝手に呼び入れた虚像に過ぎない」と断言している。

つまり、言い換えると、われわれが、何かを見る（何かに目をとめる）ということは、そのまま、ある視覚的刺戟群を他のさまざまな視覚的刺戟群から弁別し、それを何ものかとして見ることにほかならないのである。

「……として見る」の基礎構造

このような「……として見る」という認識のもつ基礎構造は、いったい何によって支えられているのだろうか。

まず第一に指摘できるのは、人間のもつ感覚的な限界である。たとえば、仮にわれわれの感覚器官の大きさが、現在のそれに比べてもっと非常に小さかったとしてみよう。これはいささか奇妙な思考実験だが、原子程度の感覚器官をもっていたと想像してみよう。そのとき、われわれのもっている理論から推測すれば、この世界には、机も椅子も、灰皿もペンも存在せず、暗黒の（かどうかは実は判らないが）空間のなかに、ある配位をもった原子群が存在する、というような具合に見えるだろう。

あるいは、われわれの身体が極端に大きくて、地球を手玉にとるほどであり、その眼の解像能力もそれに比例して大雑把《おおざっぱ》になったとすると、われわれに見える世界としては、やはり、暗黒の空間のなかに、天体がボールのようにあるいは砂粒のように輝いているのが見えるだけだろう。このような思考実験は聴覚についてもできる。われわれの可聴音波はほぼ二〇〜二〇〇〇〇サイクルであるが、その可聴領域が全体に二〇〇〇〇サイクルずれたとしてみよう。そのときわれわれの耳に響いてくる音の世界はすっかり今のそれとは違ってしまうだろう。ディスコテクの騒音も静寂の世界に変わるかもしれないし、深夜の博物館の静けさも、防犯用の超音波の響きで一〇〇ホンの騒音のなかにいるのと同じように感ずるようになるかもしれない。草叢《くさむら》にすだく虫の音は消えて、コウモリの話し声が聞こえてくるようになることもあろう。

ルウィス・キャロル（一八三二―九八）の好みそうなこの思考実験がわれわれに教えてくれることは、結局今ある世界、今われわれがこうだと受け取っている世界は、たまたま、われわれが、今の程度の大きさをもった存在であり、それに見合った感覚器官をもち、ある限られた感知能力《センシティビティ》をもっている、というところに決定的に依存しており、その大きさや感知能力がずれると、世界の様相はまったく変わってしまうということが予想される、というところにある。

したがって、われわれは、まず、この世界の「真の姿」、「真の様相」がいかなるものであるのか、という問いは捨てなければならず、われわれに許されているのは、たかだか、われわれの感覚器官が受け取ることを許された世界の姿、様相はいかなるものであるか、を問う以外にはないことになる。

実際上われわれはすでにそれ以上の世界に踏み込んでいる、という反論があり得よう。たとえば、非可聴領域の超音波やコウモリの話し声についてわれわれは語ることもできるし、実際には視たこともない高分子の構造について語ることもできるではないか。しかし、この反論は、二つの点で反論として成立しない。

第一には、感覚器官の限界の外の世界についてのわれわれの言及は、飽くまで、われわれがその限界のなかで受け取っている世界との類推とある種の対応で初めて成立するのであって、われわれは、そういう世界を実際に視たこともなければ確かめたこともない。

第二には、われわれの目的は、実は、この世界において「見たこと」、「感覚したこと」だけで、この世界についての知識を造り上げているわけではない、ということを証明しようとしているのであるから、われわれが、われわれに与えられた感知能力の限界の外にあるはずの世界についても言及している、という事実は、つまり「見ない」ことについても発言しているという事実は、むしろこれからの論点には非常に有利に働くのである。

か。

「ことば」による把握

もちろん、人間の感知能力に限界がある（その限界はかならずしもすべての人間に厳密に一様に決まっているわけではないことは認めておかなければならないが）ことに異存のある人はあるまい。しかしそのことが、どのように「……として見る」ことに関わりがあるのか。

まず少なくともそのことから、われわれには一つの結論が得られる。われわれが見ている世界は、一つの選ばれた世界である、という結論がそれである。もっと他のように見え、もっと他のように感じられるかもしれないこの可能的多様体としての「世界」から、われわれに与えられた窓を通じて選定された「一つの世界」が得られている、ということをわれわれは忘れてはならない。

そして、この基本的な構造は、そうしてわれわれに与えられた感覚の窓を通じて選定された「一つの世界」についても、再びまったく同じように適用できるのである。

初歩的な心理学の実験に使われる反転図形を考えてみよう。たとえばルービンの酒杯と横顔、という図形がある。この場合にわれわれにとって重要なのは、地と地でない部分（地でない部分ということを表わす適切な日本語がないのが不便だが、ここでは、一応「本体」と呼んでおこう）との読み取りである。その読み取りの逆転が図形の「反転」を起こす。真中の二本の曲線の左右それぞれに本体を、二本の曲線に挿《はさ》まれた部分（とその延長）を地と読み取れば、二つの人間の横顔が見える。逆に二本の曲線に挿まれた部分を本体と読み取れば、そこに酒杯が読み取られる、というわけだ。

これは、われわれが、何を背景（地）とし、何を本体とするか、ということを判断する機能を、見るという行為のなかで働かせていることを意味している。聴覚ではっきりと判り易いのは、「カクテル・パーティ効果」と呼ばれる現象である。カクテル・パーティでは、グラスの触れ合う音、氷を割る音、人びとの談笑する声、衣ずれ、足音、バック・グラウンド・ミュージックなどなど、会場はぼんやりと聴いているときには、わーんという音にしか聞こえないような喧噪のなかにある。しかし、われわれは、その騒音のなかで、聴こうと意識することによって、誰それさんのおしゃべりだけを、言わば「本体」として取り出し、あとを「地」として聞き流す、ということができる。百いくつの楽器が交響しているオーケストラの演奏会場で、それを「全体」として聞くこともできれば、そのなかの第二クラリネットの音をそれだけ選り出して本体として聴くこともできる。

これは、人間に見て取られたり、聴き取られたりする刺戟が、人間の側の意識の働きによって、可変であることを意味している。もちろんそこには完全な任意的可変性があるわけではない。しかし、少なくとも、絶対的唯一性がないことだけは明らかである。

われわれが視野のなかからペンだけを取り出して読み取るのも、「……として見る」という行為を支えるきわめて重要な前提構造であるが、それはまさしくこうした状況の延長上にあると言えよう。

これは、また、人間の外界認知の特徴として知られるパターン認知とも関係している。人間の書字読取能力が端的に示しているように、人間は、視界のなかのある特徴的なパターン（もしくはゲシュタルト）を適確に把み出す能力をきわめて豊かに与えられている。しかも、その能力は、視界のなかの刺戟のすべてを等分にしかも継時的に受け取るのでなく、ある種の刺戟群だけを共時的に把み出す、と言われている。実際アイカメラなどで人間の視線がどのように視界をスキャンするかを調べると、極めて素早い無駄のない動きで、パターンを把える有様がよく判る。

しかし、こうしたパターン認知を含めて、人間の外界の「見方」には、言語系が重要な役割を果たしていることを、忘れるわけにいかない。これは実際に体験した話だが、アメリカ人は虹が大変好きなようで、アーチ状の建造物があるとそこへ虹を塗りたくる趣味がある。サン・フランシスコでも、ロス・アンジェルスでも、ホノルルでも、ニュー・ヨークでさえも、ハイウェイのトンネルやホテルのアーケードなどに彩色された虹が目についた。車でそうしたトンネルの一つを通過するとき、思わず、どうして七色も塗り分ける面倒なことをしてでも虹を塗るのかな、と言うと、同乗のアメリカ人が逆襲した。「え、あれだけの時間で七色を見分けたのか」。考えてみると、日本語の言語習慣では、虹は七色に決まっているが、英語ではかならずしも虹と七色とは結びつかない。私はもちろん七色を見分けたわけではなく、虹だから七色だと短絡したのだが、この短絡過程はアメリカ人と共有されてはいないのである。

そこで英語で虹の七色を並べようとして、はたと困った。「藍」がないのである。もちろん、ダーク・ブルーなどという語は、英語で日常つねに使われる。ところが「インディゴ」という「藍」に当たる単語は、英語の日常的語彙のなかには、かならずしも入っていない。ダーク・ブルーは「青」の一部ではあっても、けっして「藍」ではない。つまり「ブルー」(青)から「パープル」(紫)に移り行く部分に、その両者から完全に独立した一つの色帯を認めるか認めないか、言い換えれば「藍」を一つの色として同定《アイデンティファイ》するか否か、もう一度言い換えればスペクトルのその部分を「藍」として見るか否かというのは、単にその視覚的刺戟を受けるか否かの問題ではない。日本語の日常的言語習慣のなかで「藍」をどのように使っているか、英語のそれのなかで「インディゴ」がどのように使われているか、ということと、この「藍」を見るか、見ないかの問題は深くかかわっている。こうして、われわれの外界の把握は、われわれが日常用いている言語に大きく依存していると言ってよいことになる。

先に述べた「概念」を巡る問題も、実は、この「言語による外界の把握」と密接に関係していることになる。

たとえば、「インディゴ」という単語を知らないアメリカ人——そういうアメリカ人がいることはけっして良い加減な想像ではない、充分あり得ることである——にとっては、スペクトラム表のなかで、「ブルー」から「パープル」へ移り行くところには、独立した色を見ないであろう。「藍」を使い慣れている日本人にとっては、明白にそこには一つの独立した色を見るにもかかわらず。しかもなお、二人は、同じものを見ているのでもある。

「ペン」という概念をもたない人は、眼前にペンを見ることはできない。しばしば引用されるイマヌエル・カント（一七二四—一八〇四）の言葉を、多少曲げて援《たす》けに使うとすれば、ここではこんな風に言えるだろう。「概念なき感覚は盲目である」。

「……を見る」ことと「……を存在させる」こと

このように見てくると、僅かに一本のペンの存否を巡る問題であっても、その検証は、単に、感覚刺戟を受け取るだけでは果たされないことが明らかになる。つまり、前述のアメリカ人と日本人が同じものを見ている、という意味で、「……を見ている」という言葉遣いをしたとき、そういう言葉遣いとしての「……を見ている」という命題が、あるものの存否を決定するための手続きを担うわけにはいかないことは明白であろう。つまり、そういう意味での「……を見る」では、「……」の部分にその存否が問題にされるような種類の何ものかが入ることはできないからである。

他方、同じ例で、アメリカ人と日本人とが違うものを見ているという言葉遣いをしたとき、そういう意味での「見ている」という言葉に対しては、「何ものかを見ている」という言い方が許されることになるが、しかし、今度は、その「……を見ている」という行為は、単に受動的に何ものかについての視覚的刺戟を受け取る、というのではなくて、見ている側のもつ枠組や規定性、パターンやゲシュタルト、モデルやパラダイムといったさまざまな言葉で呼ばれる何らかの概念枠を投影する、という営為を含んでおり、それ抜きでは成立しないことになろう。

言い換えれば、「ペンを見ている」という言い方が許されるとすれば、それは、客観的な事実の観察ではなく、一つの事実の造り上げなのだ、というわけである。このことは、「事実」を表わす英単語の《fact》が、ラテン語では本来「人為によるもの」という意味であったことを考えれば、それほど不自然ではないが、結局、その観点からすれば、「ここに一本のペンが存在する」ということを検証するべく導入された「私は今眼前に一本のペンを見ている」という命題は、(もしそれをしも検証と言うならば)「ここに一本のペンが存在する」という「事実を造り上げる」のに役立っている、としか言えなくなるのである。

もちろん、この言い方は、ある意味で非常に不健全であり、グロテスクに響くことは、私も承知している。その上ただちにこんな反論が出てくることも予想できる。

それはおかしい。たとえば人間は一人も存在しなくても、眼前のペンは存在しているはずではないか。何かの拍子で人間がある瞬間にすべて死に絶えたとする。そのとき世界もまた消滅するのか。お前が死んだあと、お前の妻君やお前の子供は存在しないのか。それならお前は何をあくせく働いて僅かでも財産を残してやろうとするのだ。ペンは人間が存在させたのではなくて、そのものとして存在しているのであり、お前の子供はお前が存在させているのではなくて、そのものとして存在し続けているのだ。

まことにもっともな反論である。こうした反論は常識的であると同時に健全であり、かつ私の経験では科学者の大部分がこうした反論を提起する側にいる。

健全な常識が強固に人間の「死後の世界」を主張し、科学者の大部分がやはり人間の「死後の世界」を確信している、というのは、なかなか面白い事実ではないか。もちろん、普通に言われる「死後の世界」と今ここで私の使った死後の世界とは意味が違うから、これは冗談としてもなりたたないと言われれば、それはその通りである。けれども実は、この冗談のなかに通常の意味での「死後の世界」についての一つの示唆があると同時に、科学的な知識の根元についても、一つの示唆が含まれているのである。それはおいおい明らかにしていくことにしよう。

さしあたりは、この種の健全かつ常識的な反論に対する私の立場からの反応（それは再反論というよりは反応としか言えないものである）を記しておかなければなるまい。

第一に、私はかならずしも自分の外界を自分が存在させたと言ったわけではない。存在論的な身分としては、外の世界は私自身と同等の権利を主張できよう。外の世界は、パレットにさまざまな絵具を自由にひねり出すように、人間が勝手にひねり出すことができるものではない。

もっとも、その点を徹底させることも不可能ではない。たとえば、今私が見ているペンは私が見ている間だけ私にとって存在している、私が視線を外した瞬間に、それは消滅する、視線を戻すとその途端にそこに現われる、という非常にグロテスクに、奇矯《ききょう》に聞こえる言い方も、実は論理的には可能であって、この言い方を貫いたとしてもかならずしも不整合は生じないし、常識が判断するほど非常識な結果も出てこないのである。

　ただ、この最もラディカルな言い方は、私としてはかならずしも取らない。それには理由があるが、それは後廻しにしよう。要は、外の世界が人間の勝手にひねり出せるようなものであるわけではないことは一応認めておこう（これをどういう手続きで認めるのか、という問題は残されるにしても）。しかし、その点については、私は、すでに多少用心深い発言をしたつもりなのだ。私は、一本のペンを見ているという事実がそもそも一種の造り上げられたものである、と言った。そしてまた、それが「ここに一本のペンが存在する」という事実を検証する、と言うのなら、それは、前者の事実は、後者の事実が造り上げられるのに役立つ、という意味でしかない、と言った。またこの項のタイトルは「……を見る」ことは「……を存在させる」ことと同じである、という主張を暗示しているが、しかし、「見る」ことと「存在させる」ことと書かずに、「……を」の部分をとくに付け加えていることに留意して戴きたいのである。

　すでに述べたように「……を」の「……」の部分には、通常概念が入る（もちろん固有名が入ることもある）。そして私は、「私は眼前に一本のペンを見る」という事実は「ここに一本のペンが存在する」という事実を造り上げるのに役立っている、と言ったのであって、外の世界一般が存在論的に、「見る」ことによって「存在」させられる、と言ったわけではない。

つまり、外の世界一般はある意味では人間と無関係に存在していることは認めるにやぶさかではない。しかし、その外の世界一般が、人間にとっていったいいかなる個々の要素からなり、その要素は人間にとっていかなる姿をしているか、と言えば、そこは、人間の認識行為が「造り上げる」と考える以外には考えようがないのではないか、と言っているにすぎない。

しかも、その「造り上げる」に当たっても、人間の側が任意勝手にどうにでもできる、というわけでもなく、外の世界がもっているある種の許容範囲の限度の中で、という制限を認めてもよい。ただし、その限度なるものは、実は人間に知られているわけではない、という一言を付け加える限りにおいて。

ここまで譲歩すれば、私の言っていることは「健全な」常識とさして変わらなくなる。しかし問題は、最も厳密な意味で観察された事実のみに従い、観察された事実に忠実であり、観察された事実だけから構成されている、と考えられている自然科学においても、あるいは日常的にほとんどまったく疑われたことのないような常識的な場面（たとえば「ここに一本のペンが存在する」というような事物を扱う場面）においても、等しく人間の側のもつ何らかの「型」の投影が、知識を根幹から支えている、という一点なのである。

科学は何によって造られるか

科学はしばしば、人間における最も確実な客観的知識体系と考えられている。芸術や文学のように、作家や演奏家の「主観」に委ねられることの多い営みと違って、人間の側の「偏見」に左右されることのない営みの領野と考えられている。

もっとも、こうした言い方そのものが、些か杜撰《ずさん》であることは認めざるを得ない。なぜなら、芸術の世界こそ、最も人間にとって客観的だ、と言えないこともないからである。客観的という言葉の意味を、単に「人間一般にとって共通」という意味にとるとすれば、の話であるが。

たとえば、何千年前の古墳のなかの壁画を見る。われわれは少なくともその壁画のもつ美しさやそれが与える感動を何千年前の人びとと共有することができる。パブロ・カザルス（一八七六―一九七三）が探し出した、彼の生まれ故郷である（しかも彼の人間的な存在主張が、彼をそこへ終生帰さなかった）カタロニア地方の、「鳥の歌」という小さな小さな民謡が、国連の会場で弾かれたとき、文字通り、あらゆる国々から集ってきていた聴衆は、自らのもつ言語、習慣、社会制度、宗教、などの文化的ないっさいの背景やそこからくる「偏見」を超えて、共通の深い感動を共有したではないか。これほど「客観的」な事態があったろうか。

これに比べて、現代の最先端の物理学的な知識などは、それに余程習熟した特別の人間たちだけが共通に理解できるのであって、そのほうがよほど「主観的」ではないか。

実際、ある意味では、この一見奇抜な言い方には肯綮《こうけい》に価するものがあると思われる。自然科学は普遍的知識であると言われるけれども、多少逆説的に聞こえることを承知で言えば、自然科学ほど、特殊な知識もまたないのである。

呪術的社会にあっては、祭政に関する重要な決定に関わるような問題については、呪術師たちだけが知識を独占していた。星の運行や、亀甲《きっこう》の特別な割れ方や、天候の変化などについての知識体系は、けっして「普遍的」ではなく、占師や祭司の独占であった。現象的に見れば、それと同じことが、現在自然科学で起こっている。

つまり現在の自然科学では、それを理解できその知識をもっている人びと、あるいは、その知識について、確かな検証とでも呼ぶべきものをもっている人びとというのは、実はきわめて少数なのである。大多数の人びと（専門領域以外の場面での科学者も含めて）は、そうしたごく少数の人びとの御託宣を、鵜呑みに信じて有難がっている、という意味では、それは、かつての祭司の役割を、そのまま現代では科学者が果たしている、と言ってもそれほどおかしくはなかろう。

ではそうした祭司的な科学者たちは、どのようにして自らの科学的知識を得るのか。そこでは、「私は今眼前に一本のペンを見る」と「ここに一本のペンが存在する」という二つの言い方の間にあった、前述の如き関係はどのような形をとっているのであろうか。

例えば「ここに中性微子が存在する」という命題をとり上げてみよう。するとこの命題は、もちろん直接的な感覚体験と結び合うことができないのはすでに見た通りであり、「ペン」の場合でも同じである。しかし、「ペン」と「中性微子」との違いもまた大きい。なぜなら、ペンの場合には、それでも「ここに一本のペンがある」という命題と「私は今眼前に一本のペンを見ている」という命題との関係はかなり近いが、しかし、われわれはもともと、中性微子を見ることは絶対に不可能であるのは、植木屋の譬え話にこと寄せてすでに見た通りである。そもそも中性微子は、完全に理論的な要請から、その存在を仮設された歴史をもっている。ミクロな世界での現象のなかに、エネルギーの保存則を犯すようなものが見つかったために、ヴォルフガング・パウリ（一九〇〇—五八）が、一九三〇年に導入した粒子であった。しかも中性微子は、その現象だけを説明するためのものであり、それ以外に何らかの形で物理的な性質をもって振舞うと考えると、今度はそちらのほうで辻褄《つじつま》が合わなくなってしまうために、物理的実体が通常最低限度保持していると考えられるほとんどいっさいの物理的な性質を、禁欲的に拒絶しなければならなかった。

つまり平たく言えば、そうした領域における他のさまざまな現象を考える限りにおいては、中性微子の如き何らかの粒子は（それが通常の意味での粒子的性質を備えているとする以上)、その存在を厳しく拒否されており、ひとりその特定の現象(βスペクトルに関する)においてのみある形で存在すると都合のよいものであった。そこでパウリは、あえて、質量、電荷、磁性など、物理的実体が最低限度もっていると通常考えられているいっさいの性質をもたない言わば幽霊の如き粒子としての中性微子の存在を仮設したのである。

当然幽霊の如き中性微子は、その存在の確証という手続きを拒否し続けた。パウリが予言した二十六年後の一九五六年に到って、フレデリック・ライネス(一九一八―九八)と、クライド・コーワン(一九一九―七四)という二人の実験家が、ようやくこの粒子を捕捉した。もちろん肉眼で見たわけではない。

この例は少し極端すぎるかもしれない。しかし、自然科学では、多かれ少なかれ、このように、対象の存在は、理論によって保証されている。われわれが、直接見たり触れたりして、その対象の存在を確める――ということの意味には、すでに述べ来《きた》ったような限界を設定しなければならないにしても――ことができないような種類のものが、自然科学のなかには、数多く存在している。

こうした点は、別の観点から見てもよく判る。新しい科学理論が生まれ、旧来の理論に取って替るとき、われわれの通常の常識では、それを促すのは、旧来の理論体系を否定するような新しい「事実群」の発見である。新しく発見された事実が旧来の理論体系を反証するために、仕方なく科学者は旧来の理論体系を捨てて、そうした新しい事実をも説明してくれるような新しい理論体系を編み案出することを余儀なくされる、と考えがちである。

ところが、科学の歴史を見てみると、事情はかなり違う。観察された新しい事実がすべての場合に何の役割も果たしていない、というのでは無論ないが、しかし、多くの画期的な新理論の提案は、新しく発見された事実に促されて、というよりは、つねに、それまでの事実群を前にしながら、それを説明する新しい理論体系を思いつく、という形で行なわれていることは注目に価する。

実際のところ、事実が理論を反証するということは、ある意味ではけっしてあり得ないことである、と言うこともできないわけではない。たとえば、普通、そうした反証の構造は次のように考えられる。ある理論をTとし、そのTから演繹される一つの命題を p としよう。これを式にすれば、

(1)　$T \supset p$

である。記号⊃は「ならば」と読む。ここで反証とは、p の否定が観察されることを意味するから、当然、

(2)　$\sim p$

が成立したと考えればよい。記号〜は「否定」の意である。すると(1)と(2)とが同時に成立すれば、

(3)　$\sim T$

を論理的に結論しなければならない。これが反証である。因みに言えばTの検証は、

$T \supset p$

で、かつ、

p

が成立する場合であるが、このときは、この二式が成立しても論理的にTが真となることはない。そこでpという一つの命題が観察されるか、もしくは同じ命題の否定が観察されるかが、検証のときは、論理的な支持とはならず、反証のときは、論理的な支持になる、という非対称性が現われる、ということがしばしば指摘される。

ところが、実際に起こっていることは、こういった状況ではない。このような図式は余りにことを単純化しすぎている。たとえば、理論Tとして表わされたものは、けっして、単なる単一のTではなく、数多くの理論の有機的な結合体であるのが普通である。つまりTは本来は、Tとしてではなく、$t_1 \wedge t_2 \wedge \cdots\cdots \wedge t_i \wedge \cdots\cdots \wedge t_n$として表現すべきものかもしれない。記号$\wedge$は「かつ」と読む。もしそうだとすると、(1)式は、

(1)′ $t_1 \wedge t_2 \wedge \cdots\cdots \wedge t_i \wedge \cdots\cdots \wedge t_n \supset p$

と書き直さなければならなくなる。そしてこの場合にpの否定が観察されたとしても、つまり、

(2) $\sim p$

が成立したとしても、(1)（実際には(1)′と(2)とから得られる結論は、たかだか、たとえば、

$(3)' \quad \sim t_i$

となるだけであって、かならずしもTの全面的否定は、そこからは直接導かれないと言わなければならない。

実際に科学史のなかで起こっていることも、概《おおむ》ね、これに近いことであって、現存の理論系に都合の悪いと思われるような事実が観察されても、そのことがそのまま、旧来の理論体系の転覆に直接連なることはほとんどなく、たかだか、その多少の手直しで済まされてしまうことが多いのである。

したがって、現存の理論体系を打倒し、新しい理論体系を樹立するという営みは、どのような事実が観察されたか、ということとは直接の関係をもたないような形で起こることが多いのである。こうした事態は、理論を打ち倒すのは事実ではなくて理論である、という表現で述べることもできる。

次のように表現してみれば、多少事態は明瞭になるのではなかろうか。自然科学――とりわけ、高度に発達した現在の物理学などをその典型と看做す限りにおいて――は、きわめて多くの理論が、三次元的に組み合わされて造られている複合的なネットワークであって、観察事実は、それらの複合的ネットワークのなかに定位されて初めて、観察事実としての地位を獲得することができる。

あえて誤解を恐れずに言うならば、観察事実は、そうした理論のネットワークによって造られることになる。すでに見たように、「ここに一本のペンがある」という事実は、人間からの造り上げの営みなしに成り立たないのと同様、「ここに一個の中性微子がある」という命題は、同じ意味で、しかしペンの場合よりもはるかに高度に、人間の側の造り上げ作業に依存している、と見なければならない。

もとより、その造り上げ作業は、まったくの任意勝手ではない。けれども少なくとも人間の感覚器官への刺戟だけによって知識が構成されているのではない、という否定的論点は、理論の精緻化と広範化とに伴って、より一層強く主張されなければならないことは確かであろう。その意味で、自然科学は、観察事実によって造られている、というよりは、理論によって造られている、というほうが、真相に近いことになるであろう。

自然科学的理論の「流行」

しかもまた、こうした場面で登場してくる自然科学の理論系は、かならずしも単数ではない、というところに、もう一つの問題がある。つまり、すでに見たように、ある観察事実はある一つの理論系のなかだけでその地位を得るのではなく、別の理論系のなかでも、別の役割を担いつつ別の地位を得ることは充分可能なのである。とすれば、そうした二つの理論系どうしの間の優劣を定め、どちらを採用するかを決めるのは、いわゆる証拠外的な要素が多く絡んでくると見なければならなくなる。

このような証拠外的な要素は、多々数え上げることができるが、ここでは、そうした要素の分析を多少試みてみよう。

先ず第一に考えられるのは、世代的な流行型という点である。こんなことを言うと、不謹慎のようであるが、科学にも流行の影響は小さくない。もっともこの流行という言葉の意味は、かなり多義的である。一つには、社会的な需要に基づく知識の領域の興亡がある。たとえば戦後長い間、原子物理学は若い知識層の間には圧倒的な人気だった。今日公害関係が嫌われて、工業化学などがひどく人気が薄いのと対照的である。こうした現象は、もちろん直接的に、二つの科学理論の優劣を判断するときの材料になるわけではない。けれども、後に述べるような「整合性」の要請との連関などで、間接的な影響をもっている。

流行のもう一つの意味としては、もう少し抽象的なレヴェルがある。その時代その社会の底流を形造る思想的な背景を「流行」という形で考えてみることができよう。たとえば、十七世紀ヨーロッパに流行した粒子哲学のように具体性をもって指摘できる例もあれば、もっと大きな潮流のなかで、漠然としか指摘できないような種類のものもある。

たとえば、物質観における「原子論」は、ギリシアでは流行《はや》らなかった。むしろ、時代的な潮流としてはつねに傍系として存在した。けれども十七世紀のヨーロッパでは、それは非常に魅力のある考え方になった。そして、物質観とは全く異なる政治思想や社会思想においても、この原子論は、まったく同型と言える対応物をもっている。個人主義というときの個人、すなわち《individual》という英語は、言うまでもなくラテン語の《individuum》から来ていて、「分割され得ない」ものの意であることは誰でも知っている。また「原子」に当たる英語《atom》もよく知られているように、「分割され得ない」ものを表わすギリシア語を語源とする。つまり、個人と原子とは、その母胎がギリシア語かラテン語かというだけの違いで、本来まったく同じ概念である。《individuum》は《atom》のラテン語訳なのである。そう考えれば十七世紀に、社会現象に対する把握のための理論系として、個人主義が現われ、物質現象に対する把握のための理論系として、原子論が生まれたのは、けっして偶然でないことはただちに理解できよう。これなどは、非常に大きな範囲で漠然と時代や社会を統御するものの考え方の流行型とでも言うべきものが存在していることを示している例であろう。

さらに流行にはやや異なる角度から眺めることが可能な局面がある。それは、旧套的な世代と革新的な世代との間につねに起こっている一種の緊張と摩擦、というような形で表現できよう。

人間精神は、つねに二つの矛盾する思考のヴェクトルの上にいると考えられる。一つは全体に一致しようとするヴェクトルであり、一つは全体から分離して独立しようとするヴェクトルである。卑近な例で言えば、服装でも、みなと同じ服装をしていないと安心できないところがある。まさしく流行《ファッション》はそこに根元がある。しかしまた、人間には、みなと同じ服装では満足できない面もある。どこかで自分ひとり際立ちたい、個性を示したいという欲望がある。この二つの矛盾する志向の微妙なバランスの上に、服飾の風潮は成り立っていると言ってよい。

政治意識や社会意識なども同じような傾向にある。ある社会において「村八分」は、その社会の構成員にとって凄じい苦痛である。われわれは、村や国家や民族といった共同体という全体のなかでそれに帰属することによって、大きな安心を得る。しかし他方全体への帰属意識が強くなりすぎて、全体が個人を無視し始めると忽ち個人は自らの存在を主張して、反抗ののろしを上げる。

生物一般がそういう特徴をもっていることは、次例でも知られよう。粘菌の一種は、通常は単細胞動物として一つ一つのアミーバが個体的に行動している。しかし、環境の悪化など生存の危機が迫ると、それらは、単細胞としてそれぞれ独立に行動することをやめ、数多くのアミーバが集まってあたかも一つの多細胞動物のような相を呈する。危機が去ると再びそれらは分かれ分かれになって独立に行動するようになる、と言われている。このような生物のもつ一つの特性を、アーサー・ケストラー（一九〇五―八三）という研究者は「全体子」という概念を導入して表現しようとしている。

この「全体子」は、ある生物的存在が、全体への帰属感を強くもつ原子的な方向と、それ自体が一つの独立した全体であろうとする全体的な方向とを併せもったものとして把えられる、ということを示している。

こうした特徴が、思想の面で表現されると、いわゆる「保守、革新」と言われるような場面が表われると言ってよい。既成のものの考え方のなかに自分の安心を見出すか、それを桎《しっ》梏《こく》と感じて既成のものの考え方の破壊と新しいそれへの創設へと向かうかは、上述のような構造の一つの具体的な表現体と言えるだろう。

科学の世界でもこの点はまったく同じである。いくつかの可能な理論系があったとき、そのなかからもっともらしいとして選択されるのは、多くの場合、既成の、社会全体がこれまで当然として認めてきたようなものの考え方に近いものである。科学者もまた、既成の理論系に対する忠誠という点から言えば、一般に保守主義であると言える。

しかし、一方、政治思想や社会体制のあり方に対する見解において、若い世代が革新的であるように、科学理論に対する選択においても、若い世代は、どちらかというと既成の理論系への反逆を好むこともまた、否定できない。ある世代の科学者にとっては、選択の余地のない必然であるかのように思われる理論系が、それより若い世代の科学者にとっては、選択肢の一つであり、しかもなおそれを捨てて他の新しい理論系を採用するには忍び難く感じられるということはしばしばであり、さらには、それよりももっと若い世代にとっては、その理論系は捨て去ることが喜ばしいとしか思われない、ということも、しばしば起こる事態である。

量子力学の非決定性を巡って、アインシュタインや、量子力学の定式化の一方の責任者であるエルヴィン・シュレーディンガー（一八八七―一九六一）らが、むしろ古典力学的な世界像を捨てきれず、それより若い世代と対立したこと、あるいは、アインシュタインの相対性原理は、彼のノーベル賞受賞の理由からは削られ、多くの先輩や同時代人からは無視されたことなどは、そうした事態の典型例と言える。

こうしたことがらは、もちろん科学理論を直接決定する要素とは言えない。しかし、いくつかの等価の理論系があったときに、そのうちのいずれを採用するか、という選択の際には充分考慮されなければならない基準として働くのである。そして、これだけのことからでも、自然科学の理論系が、単なる事実の支配下にある、ということが、迷信にすぎないことは明らかであろう。

簡潔性と整合性

複数の等価な理論を前にして、科学者がその選択基準とするもう一つの重要な要素は、理論の簡潔性である。この簡潔性は、中世の哲学者ウイリアム・オッカムの名に因んで「オッカムの剃刀」と呼ばれることがあるが、ほとんど経済性と言い換えることができるような場合もある。オッカムの剃刀の原理というのは、大雑把に言ってしまえば、必要のない実体は増やすな、あるいは削り捨てよ、というものである。もっとも、簡潔性の基準は、このオッカムの剃刀の原理によって表わされるような場面だけではない。

たとえば、コペルニクスが、地球中心的な惑星体系と、太陽中心的な惑星体系とを、選択肢の可能性として前にしたときに、太陽中心説に傾いた一つの理由は、太陽中心説のほうが使用しなければならない周転円の数が確実に減る、というところにあったと言われている。

これは座標変換をやってみるとすぐ判る。内惑星の場合を例にとろう。当時の地球中心的な体系は、基本的には、地球を中心として各惑星は回転する大きな第一次軌道円をもち、さらに、その第一次軌道円（普通「導円」と呼ばれている）上の一点を中心として小さな第二次軌道円（それが「周転円」である）が回転し、その周転円上の一点に惑星が位置する、というモデルを採用していた。細かい補正のためには、離心円、エカントなどと呼ばれる特殊な数学的道具も導入され、必要とあれば周転円の数を増やすこともできたが、基本的なモデルは変わらない。

ただ、重要なのは、当時は、惑星は一つの光点と看做され、したがってその運動を構成するためのそうしたモデルでは、実際にその惑星が地球からどのような距離にあるのか、というような問題は捨象することができた、という点である。そこで、導円と第二次軌道円（第一次周転円）との半径の大きさについては、その比さえ与えてやればよいことになる（もちろんそれぞれの回転速度を定める作業は別に必要である）。

内惑星の場合の地球中心的モデルから太陽中心的モデルへの座標変換は次のようにして行なわれる。導円と周転円の大きさは、その半径の比だけが与えられていることに留意すれば、われわれは、その導円の大きさを、太陽の軌道まで「拡大」（内惑星の場合だからである）することもできる。当然周転円も導円との比を保ちつつ拡大される。すると、内惑星は、太陽の軌道上の一点を中心として回転する周転円上に位置することになる。その当該の一点を太陽と定めれば、内惑星は、地球を中心として回転する太陽を中心として、その周囲を回転することになる。

実はこれがティコ・ブラーエ（一五四六―一六〇一）というケプラーの先生でもあった過渡期の天文学者の考案したモデルであるが、そこまでいけばあとは太陽を停めて、地球のほうを、今までの太陽の軌道半径と同じ半径をもつ軌道円上を逆に回転させてやれば、太陽中心的なモデルが出来上がる。このとき気をつけて欲しいが、太陽中心的モデルでは、地球中心的モデルの場合に必要だった内惑星の周転円は、消滅している（それがそのまま太陽を中心とするその内惑星の第一次軌道となったのだから）のである。

こうして地球中心説を太陽中心説に変えると、各惑星について少なくとも一個はかならず周転円を減らすことができる。数多くの周転円の計算に苦しんでいたコペルニクスにとっては、この周転円の数の減少は、説明の経済性という点から言って、太陽中心説のもつ好ましい特徴の一つに映ったに違いない。これは、オッカムの言う不必要に実体の数を増やしてはいけないという原理には、厳密に言えば重ならないが、しかし、ここにも簡潔性の基準は働いているとみてよい。

あるいはシャルル・A・ド・クーロン（一七三六―一八〇六）の逆二乗の定理を例にとろう。二つの点電荷の間には、その電荷間の距離の二乗に反比例する電気的な力が働く、というのが、クーロンの定理である。ただし、その電気的な力は、二つの電荷が同種のものであるときは斥力として、また異種のものであるときには引力として作用する、ということは付け加えるまでもあるまい。この定理は、実験的に得られたものには違いないが、しかし、実験結果は正確に逆二乗を示しているわけではけっしてない。だいたい逆二乗の周辺に散らばるにせよ、二という数値が定まるわけではけっしてない。つまりはそれは、逆一・九乗法則でも、逆二・一三乗法則でも、実験値としてはあり得たのである。しかし、われわれは、それを逆二乗として考える。もちろんそこには、万有引力の逆二乗関係からの類推もあったであろう。しかし基本的には、ここにも、自然界の数的簡潔性に対する信頼が顔を出しているといえよう。

もっとも、世界がこうした数的に簡潔な秩序をもつという信仰は、ギリシアのピュタゴラス派まで遡ることができる。二つの絃の長さの比が二対一のときにオクターヴ上音が得られる。三対二のときは五度上音、五対四のときは六度上音、がそれぞれ得られる。これは、自然における音の世界が、簡潔な数の関係によって組み立てられている、という信頼は、ピュタゴラス派特有のものであったが、さらにキリスト教的な創造神の概念がここに導入されるに到って、この「簡潔性」への信頼はむしろ信仰と同義、あるいは少なくとも信仰の一つの面ということになった。

クーロン力が逆二乗を示すことは、ある意味では、このような信仰に支えられて、初めて、科学的な真理となる、と言っては、少し奇矯に響くであろうか。

もちろん何が簡潔かということは、かならずしも一義的には定まらない。逆二乗と逆一・九九九九九乗とを比べたときに、逆二乗のほうが簡潔だ、というのはほとんど異論の出る余地はないだろうが、何が複雑で何が簡潔か、という判断そのものが主観的なところもあり、また時代と社会によっても、あるいは視点を置く場所によっても、充分に変わり得るものであろう。

そのうえ、理論というものは、それだけで孤立しているわけではない。一つの理論は、それを取り囲むさまざまな他の理論との連関のなかで成立している。このことは、すぐあとに述べる理論の「整合性」ということとも関係してくるが、簡潔性という点に限って言えば、ある理論のなかだけで簡潔性がのぞましい最高の形で保持されていたとしても、その理論とそれを取り捲く他の諸理論との折り合いが悪く、かなり複雑な調整が必要となる場合には、むしろ、その理論の内部では簡潔性はかならずしも理想的ではないが、しかも他の諸理論との折り合いがより簡単であるというような理論のほうが、採用されるということもある。

このように、「簡潔性」という判定基準にも、ある程度次元を考えなければならないことは確かである。ある理論の内部での簡潔性を、「第一次の簡潔性」と呼ぶとすれば、ある理論と他の諸理論との間の調整に関する簡潔性は、「第二次の簡潔性」と呼ぶことができよう。

もちろん、科学理論の選択基準としての簡潔性に着目した場合、第二次の簡潔性が第一次の簡潔性に、つねに優先する、というわけではない。たとえば前述のコペルニクスの太陽中心説の提案は、そうではない事例の一つである。

コペルニクスが太陽中心説と地球中心説との比較において、太陽中心説を選択した理由のなかには、太陽中心説における簡潔性、つまり、先の定義を用いれば、第一次の簡潔性があったことは確実である。けれども、この第一次の簡潔性を重んじることは、第二次の簡潔性の相当部分を犠牲にすることに等しかった。なぜなら、太陽中心説を採用すれば、地球の運動を認めなければならず、そうすれば、地球の運動に関るさまざまな現象を、それに見合うように調整しなければならなかったからである。実際、古代末期に地球中心説を採用したプトレマイオスは、地球の運動を前提としたときに起こるさまざまな不都合が説明しきれないと考えて（つまり単に惑星の運動モデルとしての太陽中心説、地球中心説の内部的な簡潔性よりは、他の諸々の運動をも説明する運動論一般と惑星運動モデルとの折り合いの簡潔性を優先させて）、太陽中心説を捨てたのであった。

にもかかわらず、コペルニクスが、太陽中心説の採用（地球中心説の廃棄）にあえて踏み切ったのは、太陽中心説内部の第一次の簡潔性――それだけではもとよりないにしても――を重視したからである。そして一方から言えば、惑星運動のモデルとしての太陽中心説の第一次の簡潔性を重視したからこそ、他のさまざまな理論との間の折り合いのための調整のなかから、それらを覆えし新しい理論のネットワークを造る機運も生まれてきたのである。

さて、すでに見たように、理論は、その理論一つが孤立して存在しているような形をとることはほとんどない。たとえある個別の領域に特有の、狭い範囲の理論であったとしても、それは、他のいろいろな理論とネットワークを造っているのが普通である。

たとえば、誤った理論の例としてよく引かれるフロギストン説を考えてみよう。フロギストンは可燃性の物質すべてに共通に備わっているものであって、燃焼とともにその物質から放出されると考えられたが、しかし燃焼後の金属が燃焼前よりも重量が重いことは随分前から知られていた事実であった。そこで、フロギストン説の信奉者たちは、フロギストンには負の重さ（つまり軽さ）があると考えたのである。フロギストンと結びついている物質は、それ本来の重さよりも幾許《いくばく》か軽くなっている、と考えられたのであった。

われわれには、この説明は極めて奇異に感じられる。その理由は、重さという概念に関するより一般的かつ基本的な理論が、このような説明と摩擦を起こす、と考えるからである。その点を除けば、フロギストン説は、酸化のちょうど逆の形の説明理論として、燃焼現象を説明するのに非常に巧妙な理論であったと言えるのである。

そしてまた、アルキメデス（前二八七頃―前二一二頃）の比例論以来、過去においては、物質の「軽さ」について論じることはそれほどナンセンスなことではなく、さらにアリストテレス的な四原質説（それをフロギストン説は伝統として背後にもっている）における火の原質のもつ上昇傾向などの考え方もまた、フロギストンの「軽さ」という言い方を許すようなものであったことを考えると、フロギストン説を、単なる愚説と片付けることはできない。われわれがフロギストン説を奇妙なものと考える理由は、フロギストン説そのものが誤っているというよりは、それを受け容れるような、より大きな理論のネットワークをもっていないがためなのである。

そこで、ある理論が採用されるかされないかの判定基準の一つは、結局、その理論そのものの可否というよりは、それが、そのときの知のネットワークの中にうまく整合的に収まるか否か、というところにあると考えることができるのである。もちろん、簡潔性について、第一次と第二次のそれを考えたように、整合性についても、第一次と第二次を考えることができる。

一つの理論が、その内部において整合的でなければならない、というのは、ほとんどわざわざ言い立てる必要がないほど当たり前の条件であろう。しかしそれを第一次の整合性と呼んでおけば、その理論が、他のさまざまな理論とうまく折り合うかどうか、整合的に受け容れられるかどうか、という場面で、第二次の整合性が姿を現わす。

しかも、このような多次的な整合性は、単に論理的な、あるいは構文論的な場面にはかならずしも限られなくなる。たとえばフロギストン説の場合でも、フロギストン説が今日のわれわれにとって受け容れられない理由は、もちろんそれが第二次的な整合性を欠くからであるが、もう少し単純に考えてみれば、フロギストン説が、物質の「重さ」という言葉に今日のわれわれが持たせている意味に抵触するとも言える。もしそうならば、これは、「重さ」とか「軽さ」というような言葉の意味論的な整合性が問題になっていると言ってもよいことになる。

実際には、この言い方は不正確である。実は、ある言葉の「意味」というのは、その言葉を語彙としてもつような理論（広義の）のネットワークのなかで、その言葉がいかに使用されるか、ということにかかっているのであって、ある概念の「意味」なるものが、その概念を含む理論系の構文論と切り離して論じられるような、あるいはそれとは独立の実体として考え得るような、そうした何ものかではない。

したがって、意味論的な整合性と、構文論的な整合性とは、ことの表裏ではあるにしても、別箇の話ではないと言わなければならない。それにもかかわらず私が、あえてここで意味論的な整合性ということを問題にしたのは、こうした理論系、あるいは理論のネットワークなるものが、明示的に語られるようなものばかりではない、ということを指摘したかったからにほかならない。

価値の世界との「整合性」

ある自然科学の理論が、その時代に採用されるか否かは、他の自然科学理論との間の第二次の整合性のみで定まるものではない。すでに見たように、そういう意味で「整合性」を言い立てるとすれば、そこには論理的な整合性のみならず、意味とか価値とかに関わる整合性が重要な役割を果たすことになる。

フロギストン説の場合には、物質の「重さ」や「軽さ」という概念の意味が絡んでいた。今日で言えば、たとえば「もの」という概念、あるいは「粒子」というような概念は、極めて基本的な意味の領域を作り上げていて、それがあらゆる科学理論の構成概念を、厳しく束縛している、という状態がある。

たしかに今日のわれわれにとって「もの」という概念のもつ意味の束縛性は強烈である。われわれが自分の外の世界に何ものかを認めるとき、それを見ることが通常の人間にとって最初に来る感覚であるにせよ、それだけではわれわれは、往々にして誤りを経験する。

幽霊はなぜ幽霊なのか。幽霊を見たという人の数は月の表面を直接見た人の数よりもはるかに多いだろう。それにもかかわらず、幽霊はなぜ幽霊でしかないか。結局それは、幽霊を見た人は多くても、幽霊に触れた人はいないからだろう。英語になかなか面白い表現がある。《something to be kicked》というものであるが、直訳すれば、「蹴飛ばし得るもの」ということにでもなろうか。ちょうど日本語でそれに相当する表現を探すとすれば「手応《ごた》えのあるもの」あたりであろう。

　つまり、われわれは、何かの存在を認めるときに、それが《to be kicked》であるかどうか、「手応え」のあるものであるかどうか、ということを、非常に重要視していることが判ろう。それを発生論的に遡れば、結局は、その「手応え」なるものが、人間の生存と強く結びついていたことと無関係ではあるまい。個体の生存と種の生存とに基本的に必要な、捕食、戦闘、性行為などは、つねに「触れる」という手応えのなかで成り立っているからである。

　蜃気《しんき》楼《ろう》は手応えがないから実在ではない。幻視も触れられないがゆえに幻視である。そしてこのような強固な常識を哲学的なことばで確認したのが、近代哲学の出発点でデカルトが提案した「延長」《extentio》だったに違いない。

　デカルトは、空間内にある拡がりをもつということを、「もの」の基本的特性として把え、それを客観性の基準としても認めたわけである。複数の人間が共通して何かを認めるとき、最も確実なのは「手応え」を確かめることである。逆に言えば、「手応え」を確かめることのできるものは、すなわち、かならず複数の人間に共通に認められる可能性をもつことになる。

そこで、近代の自然科学は、もっぱら、このような「手応え」のあるものを追究する形で発展してきたことになる。逆に言えば、自然科学理論が、「手応え」のないものについて語ろうとすると、かならず、この「もの」という概念の意味と摩擦を起こすことになるのが普通であった。

この点に関しては二つの点を指摘することができる。その第一は、このように「手応え」のある「もの」に注意を集約し、それと相容れないようなものについては、理論系を造らないという態度は、かならずしもすべての人類に共有されるものではなく、むしろ西欧近代に特徴的である、という点である。

たとえば中国の老荘の思想で、つねに問題になるのは虚である。虚は実、有、満とともにそれ自体がまた実である。つまり、言い換えれば、竹の空洞、石垣の石と石との間の空間、といった「もの」のないところもまた、中国の思想では自然理解の上で非常に重要な役割を果たしていると考えられる。

近代科学のなかでは、こうした虚に対する関心は原則としては認められない。もちろん現代物理学においては、湯川秀樹（一九〇七―八一）の老荘思想への関心に見られるように、あらゆる理論的可能性を探し求めるがゆえに、この中国流の虚の実体化も試みられている。たとえばポール・ディラック（一九〇二―八四）の反電子に端を発する反粒子の仮説は、たしかにそうした試みの一つであろう。

反電子というのは、結局、負の質量をもち負のエネルギーをもっているような電子であって、ここであのフロギストン説信奉者たちの着想が現代的な姿で復活したかのようにさえ思われる。しかし、このような着想が、いかに科学者の常識的な意味の世界からはずれていたかは、アーサー・ケストラーの語る次の逸話を読めば充分だろう。

この理論はあまりにも奇妙なものに思われたので、ニールス・ボーアは「象生け捕り法」という題の、からかいの文章をそれについて書いたほどである。……ニールス・ボーアは小学生並みのユーモアをもって、狩人達が象の集る水場に、ディラックの理論を簡単に要約した大きなポスターを立てるべきだと提案した。「象は伝説的なほど賢明な動物であるが、その象が水を飲みにやってきて、そしてこのポスターの文章を読んだ時には、あまりのことに数分間は眼を白黒させて、ポカンと立ち尽すに違いない」。つまり……このときを狙って狩人達は象を生け捕りにできる、というのである。（アーサー・ケストラー『偶然の本質』村上陽一郎訳、蒼樹書房、一九七四年、九〇―九一頁、多少変更してある）。

これほどディラックの理論がボーア（一八八五―一九六二）の眼には珍奇に映ったということは、科学理論が、いかに、実なる「もの」に対してのみ編まれてきたか、ということの、よい証拠になるであろう。

それゆえ、中国においてはごく自然な、「虚の実体化」という操作は、伝統的なヨーロッパの思想の流れから見ると、かなり異質のものであると言えよう。

第二に大切な点は、そうであるにもかかわらず、近代西欧においてさえ、どうしても「手応え」のないものを相手にしなければならなかった場面が一つだけ残っていたことである。それはデカルトに象徴的だったあの「思惟」《cogitatio》である。そこに西欧近代の最大の課題があったとも言える。しかし、その「こころ」の世界さえ、科学は、「手応え」のある「もの」の世界に何とかして還元しようと意を尽してきたことを思うと、この「手応え」のある「もの」という概念が現代のわれわれを束縛する力の強さにはあらためて一驚せざるを得ない。

すでにディラックの理論の例が示しているように、科学理論は、最終的には、そうした基本的に共有されているいくつかの概念の意味と抵触するか否か、それらの意味と整合的であり得るか否か、というところで、厳しく選択されるのである。

このような事情は、「整合性」や「簡潔性」という概念そのものにも当てはまる。なぜ科学理論は「簡潔」でなければならないか、なぜ科学理論は「整合的」でなければならないか、この種の問いは、一見ナンセンスに感じられるが、いざ答えようとするとそれは苦難の業になる。たとえばコペルニクスの場合、簡潔性に対する信頼は、はっきりと彼のキリスト教的信仰と結びついていた。彼は、神がこの世界を創られた以上は、それは無駄を孕んでいてはならない、と考えたからである。この発想はもちろんコペルニクスに固有のものではない。自然界を神の意志と理性の作品と見るというキリスト教の伝統のもつ一つの特徴が科学とどう結びついていたか、という点は、第Ⅰ部で眺めた通りであるが、それは、結局このように、何を重要と考えるか、という「価値」の問題に関わってくることになるのである。

こうしてみると、少なくとも次のような一つの結論を引き出すことができるように思われる。科学理論の選択に当たっては、それが現実の世界といかにうまく合うか、ということ、言い換えれば、データをきちんと説明できるか、ということのみが、その選択のための判定基準であるかのように思われているが、実際には、他のさまざまな基準が強力に働いていること、さらにはデータということの意味がすでに見たようにかならずしも自明ではないという点を考慮すると、そうしたさまざまな（「意味」や「価値」を含む）基準は、少なくとも一部、その理論が現実の世界、つまりデータなるものといかにうまく合うか、という場面にも、入り込んできていることを認めなければならないであろう。つまり、ここで言われているような「意味」や「価値」こそ、すでに述べた、「事実」を人間が造り上げるときに機能している「型」を支えているものであると考えることができるからである。

われわれは、ようやく最初の植木屋の譬え話に戻ってきたと言える。科学は、観察されたものからのみ出発する、という広く行きわたった思い込みは、少なくともこれまでの作業の展開のなかで、ある程度否定することができたように思われる。あの植木屋の譬え話では、「見えない植木屋」は「植木屋なんていない」ことに等しい、とする観察至上主義の探検家が科学者であり、見えなくても植木屋はたしかにいるのだ、という探検家は非科学的な信仰者である、と看做すことができた。もともとこの譬え話は、植木屋すなわち神と考えることによって、神の存在の否定と肯定の図式を表わすことを目的に作られたものであるからだ。

けれども、もしこれまでの大雑把な分析の作業が、それほど誤ってはいないとすれば、実際上科学者がやっていることは、この譬え話における「科学者」の図式のなかには、けっして収まりきらないことになる。

素粒子については、見えない素粒子も存在することを科学者は疑わない。ヴェサリウスの言う、心室中隔の見えない小孔については、科学者はその存在を認めない。なぜそうなのか、これまでの話でその理由は明らかであろう。素粒子のほうは、今日のわれわれのもつさまざまな科学理論のネットワークがそれを受け容れるからであり、心室中隔の小孔のほうは、そうではないからである。しかしこの二つは、どちらも、通常の言い方では科学的な文脈に属している。

けれども、その構造と、植木屋の存在の当否を測る構造とは、論理的にはどこにも差がないことは注目しなければならない。つまり科学的な営みというのも、単に、観察したりあるいはデータを集めるということに支えられているわけではなく、多くの価値や意味の体系に支えられており、それは、神の存在を知る、という命題が意味をもつとき、その命題の可否を論ずる際に、それを支えているのが同じく価値や意味の体系であることと、構造上どこにも差はないことになる。

もちろん、すでに述べたように、近代科学の成立する文脈では、「手応え」のある「もの」を、存在する実体として第一義的に措定するという傾向は極めて強固である。その意味で言えば、たとえば、神の存在は、「手応え」のある「もの」として確認することはできない以上、石や机やペンの存在とは違う、という言い方はできよう。仮に神は存在するにしても、石や机やペンの存在とは、その存在の様式が違う、と主張することもできよう。だが、それならば、虚なるものの存在、つまり「手応え」のある「もの」ではないような何ものかの存在をわれわれはけっして認めないか、と言えばそうではない。

われわれは、少なくともはっきりとそれを認めている場合に出会う。それはすでに述べたように、人間の「心」が対象とされたときである。

「心」の私秘性

デカルトが世界の実体を、延長と思惟とに分けたのはよく知られているが、実際のところ、延長の世界については、多くのことが語られてきた。もちろん、「客観性」という概念については、すでに繰り返し述べてきたように、極めて大きな限界があることは確かである。しかしそれにしても、延長を特徴とする「もの」の世界に、実質的な意味での「客観的」な性格を認め易いというのも、けっして否定できない。

これに反して、「こころ」の世界は、最初から、そういう「客観的」な性格を拒否するところをもっている。たとえば、「私は今空腹である」という「私」についての一つの記述命題を考えてみよう。このとき、「私の空腹さ」を、空間的な位置として指定することはできないのにわれわれは気づく。もちろん、「私」の身体は空間的な位置を示すことができるし、「私の腹」というのも、場合によっては、その意味を限定して、空間的に定位することが可能であろう。しかし、私の「空腹さ」は「私の身体」と無関係ではあり得ないにもかかわらず、空間的な拡がりをもって存在（ということばが使えるとして）してはいない。「ここに一本のペンが存在する」という命題は、単に人間がペンらしい知覚をもつことだけで構成されるわけではなく、また検証されるわけでもなかったが、それにしても、そうした知覚的な判断は、多くの人間が共有することのできるものであった。

つまり「私は眼前に一本のペンを見る」という命題は、複数の人間が同時に、かつ、共通に言い立てることのできる命題である。いかにその命題が、単なる感覚与件のみに支えられているのではなく、ペンという概念についてさまざまな前提的知識や枠組によって支えられているにしても、そのことは変わらない。

ところが、「私は今空腹である」という命題は、複数の人間が、同時に、かつ共通に言い立てることは完全に不可能ではないか。もし複数の人間が「私は今空腹である」と言い立てたとすれば、それらの人間が言い立てている「空腹さ」は、それらの人間の数と同じだけあるにしても、今この書物を書いている特定の個人としての「私」の空腹さについて複数の人間が、共通に、それを言い立てることはできない。私の空腹は私だけのものであって、何人も、私の空腹を感じることはできない。

それには「空腹さ」の空間的位置を同定できない、という特徴が少なくとも、根本的に効いているように見える。言い換えると、「私は空腹である」という命題については、私以外の人間がそれを知覚として所有するということは最初からあり得ないことになるのである。「私の空腹さ」は、他の人には、見ることも触れることも味わうこともできない何かである。「ペン」は、空間的な位置を占めることにおいて、複数の人間が、見ることも触れることも（場合によっては、味わうことも）できる。

では、私は「私の空腹さ」をどうやって知るのだろう。私ならば、「私の空腹さ」を見たり触れたり味わったりすることができるのであろうか。明らかにそうではない。私が「私は空腹である」ことを知るのは、まさしく「私が空腹である」からにほかならない。それ以外に、知りようはないのである。

それと同時に、「私の空腹さ」は、私以外の人にとって、原理的にまったく知覚することのできないものであることも認めなくてはならない。もちろんわれわれは、他人が空腹であることを知ることはできる。けれどもそれは「空腹さ」を見ることによっても、触れることによっても、あるいは味わうことによっても、達成されるわけではなく、また、自分の空腹さを知るときのように端的にただそれを感じることによって達成されるわけでもない。

つまり「私のこころ」は、原理的にいかなる他人によってもそれを知られ得ない何かである、と言わなければならない。「顔で笑って心で哭《な》いて」ということばがあるが、もしもその人の顔が、本当に笑っているだけであるとすれば、他人は、その人のこころが哭いていることを推測することさえできなくなる。「こころ」とは、かくの如く、原理的な意味での「私秘性」を備えている。

だがしかし、われわれは、人間について、そのこころの存在を検証することができないという理由で、他人のこころの存在をあげつらうことはしない。この状況は、どのような形で起こってくるのであろうか。

「こころ」の存在

われわれは、通常他人のこころをどのような形で「知る」のであろうか。「私の空腹さ」を他人が知るための最も確実な（そして実は最もあやふやな）手段は、私が口に出すことばである。「私は空腹だ」、「腹が減った」、「お腹がペコペコだ」、「何か食わせてくれ！」。どういう表現であれ、「私の空腹さ」は、ことばを通じて他人に伝えられる。それに普通はさまざまな表情や仕草がある。美味しそうな食物のお皿に走る羨しそうな視線、待ちきれなくて盛ったお皿に伸びるつまみ食いのための掌、ごくりと嚥《の》み込む唾き、グーグーとなる腹、そういったものが上記のようなことばに伴うとき、われわれは、ある人の「空腹さ」を知ったと信じる。

一つ気をつけておいて戴きたいのは、このような構造は、たとえば、われわれがテレヴィジョン受像機の画面の揺らぎを見て、その内部の故障を知る、ということとは少し違う、という点である。われわれがある人の「空腹さ」を知るときに、その外部に現われたいろいろな表情や仕草、あるいはことばという音声などから、その人の内部の「空腹さ」を判断する、というのは、一見上例のテレヴィジョンの故障とよく似通っているかに思われるが、すでに述べたように、「空腹さ」というのは、単に、それが外からは見えないその人の「内部」の状態であるというにとどまらず、「空腹さ」なるものを、その人の「内部」のいかなる位置にも同定できない、という点では、テレヴィジョンの内部の故障の場合とは違っている。テレヴィジョンの故障では、それがトランジスタの内部の回路の断線であれ、あるいは集積回路内の短絡であれ、空間的に故障箇所を同定できるからである。「空腹さ」は、おかしなことに、日本語での一つの表現「腹が減った」がはっきりと示しているように、身体の一部としての「腹」という空間的位置が確認されているにもかかわらず、その「空腹さ」の空間的位置を同定することができないのである。

これは「空腹さ」というときの「腹」という語がもつ、位置的な曖昧さ、つまり日本語の「腹」が、人間の身体のどの空間的部分を指すのかがかならずしも明確ではないという事実に由来するわけではない。そうでないことは、もっと位置関係の明確な例を選んでも、事態はまったく変わらないということからも明らかであろう。たとえば、私の指先にトゲがたったとしよう。このときには、トゲの空間的位置は、はっきりと同定できる。そして、そのときの「痛み」は、まさしくそのトゲの部分においてあるはずであるにもかかわらず、そこをどれほど探しても「痛み」は見付からないのである。

したがって、テレヴィジョンの内部的故障が、外部的な現象としての画像の乱れとなって現われる、という場合と同じ意味で、私の身体の内部における「私の空腹さ」が、外部的な現象としての「腹が減った」という発語やいやしんぼうの行為となって現われているわけではない。

もっとも、ここで、「私の空腹さ」をテレヴィジョンの内部的故障とまったく同じ意味で把握しようとする立場がないわけではない。たとえば、「私の空腹さ」は、私の胃や腸や食道、口腔、舌などに関連するさまざまな神経のネットワークにおけるある種の昂奮、もしくは異変であると看做す立場がそれである。もし「私の空腹さ」が即「私の神経系のある物理的状態」そのものであるならば、私という生体の身体内部の神経系の状態を、テレヴィジョンの内部の場合のように、簡単に観察する手段をわれわれはもっていないという制約を度外視すれば、原理的には、その空間的な位置を何らかの形で同定することができ、したがってまた、他人がそれを客観的に観察することも可能になろう。

この悪名高い「心身問題」に、ここで深く立ち入っている暇はないが、しかし、このように、「空腹さ」という心的な状態――つまり空間的位置を云々することが原理的に不可能であることを特性とする状態と、「神経系のある物理的な状態」という身的な状態――つまり原理的には空間的位置関係を言い立てることに意味のある状態とを、等号で結ぶことには、どうしても無理があると言わざるを得ない。

もしそれが等号で結べないとするならば、テレヴィジョンの故障と、私の空腹さとにはたしかにある構造上の差異を認めなければならなくなる。

それゆえに、ここに、こころのもつ一つの重要な特徴が現われてくる。「私の空腹さ」

は、私がいっさいの「空腹さ」にまつわる発話や態度や仕草などをしなかったとしたら、少なくとも他人にとっては、存在しないことと同じである。何人も、「私の空腹さ」を知る手段はない。それを知っているのはまさしく「私」だけである。これは、かりに「私の空腹さ」を私が感じているときの、私の身的状態のいっさいが厳密に記述できたとして、しかも、それを他人が客観的に行なうことができたとしてさえ、事情はまったく変わらない。それでもなお、私が本当に「空腹さ」を感じているか否かは、私しか知らないのである。

ここで文学論を展開するつもりは毛頭ないが、夏目漱石（一八六七―一九一六）が彼の文学作品のなかで追究し続けたテーマの一つが、この問題であったことは明らかである。その最も典型的な例は『行人』であろう。『行人』の兄夫婦、つまり一郎とその妻とは、ある種の危機にあり、そこには一郎の弟である二郎が介在する。一郎は妻の心を把えかねて苦しみ、二郎と自分の妻（どのような事情でかは明示されていないが）とが過去に知らない仲ではなかったことも手伝って、その間を疑わざるを得ない。二郎は兄の嫂《あによめ》に対する疑い、つまりは兄の自分の妻の心を把えきれないがゆえの苦しみを理解できず、自分なら嫂を少なくとも兄よりは理解しているつもりでいるが、いざ嫂の本当のこころがどこにあり、何であるかを知らなければならない立場に立たされると、所詮はまったくそのこころを把えられず、兄の焦《い》ら立ちや苦しみに近い気分を味わわされる。

漱石は、そこにドイツ語の諺を一つ引用する。《Keine Brücke führt von Mensch zu

Mensch.》（人から人へ掛け渡す橋はない）。人間の「こころ」のもつ絶対的な孤独さはまた同時に、一郎の口を藉《か》りて言われた同じドイツ語の表現《Einsamkeit, du meine Heimat Einsamkeit!》（孤独よ、我が隠れ家たる孤独よ！）に集約されて表わされてもいる。

漱石の場合には、とくに人間の「こころ」のもつこの争い難い特性を、男と女との愛情に絡ませて、しかも男としての立場から描くために、彼の作品では、とりわけ女性における「外面」と「内面」との間の意識的なずれと、それに弄ばれ焦ら立ち苦しむ男性という一つの定形的なパターンが出来上がる。『三四郎』における美禰子対三四郎はその典型であるが、このパターンは、彼のあらゆる作品のなかに、手を代え品を代え、随所に現われる。

もっとも先にお断わりしたように、ここではその文学的な側面をとやかく言いたいのではない。ただ、漱石の作品に象徴されるように、人間は、他人のこころを把えきろうとして、それを遂に果たせない、タンタルスの渇きを味わい続ける存在であることは確かであろう。

しかし、そこにはある種のパラドクスがあることを指摘しないわけにはいかない。それは、人間はなぜそもそも他人の「こころ」の存在だけは確信しているのか、という問いに集約される。

『行人』の一郎にせよ、妻の直子のこころの存在そのものを疑っているわけではない。直子のこころの状況を知りたいと思いつつそれを果たせないことに焦ら立ち苦しむが、しかし直子のこころについては、それを一度も見たことはないにもかかわらず、その存在を疑いはしない。いや、それは疑えないからこそ、逆にそれがどのようであるかが見えないと言って苦しむのである。見えないものについて、その存在だけは認めておいて、それがどのような姿をしているかが見えないと嘆くのは、そもそも自己矛盾ではないか。

やはり一郎が二郎に言った言葉に「おれが霊も魂も所謂《いわゆる》スピリットも攫《つか》まない女と結婚してゐる事丈は慥《たし》かだ」というのがあるが、一郎は、自分の妻を木偶《でく》人形であるとは思っていない。どれほどそれを証明しようとしても、原理的に不可能であることは明らかであるにもかかわらず、一郎は妻が「スピリット」をもたない存在であるという疑いをもつことは一度もない。つまりは一郎は勝手に妻の上にスピリットを想定しておいて、それが攫まえられないということを訴え続けていることになる。

こう言ったからといって、私は、一郎が妻を木偶人形だと思えばよかった、と提案しているわけではない。問題がそれで片づくわけではないのは明らかである。

人間は、「他人」に対して、そのこころをいかなる手段でも知ることができないことを知っていながら、しかも、その存在を疑うことをけっしてしない。

では、他人のこころの存在に対して、人間のもつこれほど確かな信頼は、何に由来するのであろうか。

こころと素粒子

すでに見たように、われわれは、かならずしも何かを見ることによってその存在を認めるわけではない。素粒子は、原理的にけっして見ることはできない。しかもわれわれは、その存在をほとんど疑わない。それでは、われわれが原理的にけっして見ることのできない他人の「こころ」の存在を疑わないのは、素粒子の場合と同じなのであろうか。答えは、ある意味でイエスであり、またしかし重要なある意味ではノーである。

素粒子の存在を疑わないのは、われわれ一般の素人にとっては、科学者がそう言うからである。すでに指摘した通り、呪術的社会のなかでの呪術師のことばが、その社会の成員に素直に信じられるのとまったく同じように、今日の文明社会にあっては、専門的科学者と呼ばれ認められる人びとのことばは、一般に素直に信じられる。一般の素人は、素粒子に関連するいかなる実験にも従事したことはなく、ウィルソンの霧箱一つ見たこともないが、それでも、科学者の言い分は彼らにとって絶対である。文明社会にあっては、科学者が呪術師なのである。

しかし、この答えでは、正直すぎて、われわれが素粒子の存在を信ずる理由としては、皮肉にしかならない。いや、もしかすると、このアイロニーのなかに、案外ことの真相が隠れているのかもしれないが、ここでは、そういう形の皮肉で片づけてしまうのは一応保留しておこう。とすると、われわれに対して、素粒子の存在を保証してくれるものは何か。

かつて、たとえば素粒子は、「構成概念」と呼ばれたことがある。直接的観察によってその存在を確める（という言い方には、ある留保が必要であることは、すでに述べてきた通りであるが）ことはできないけれども、さまざまな現象を整合的に説明するためには、その存在を前提することが必要である、と考えられるような概念には、それがそうしたさまざまな現象によって構成されたものであるという意味で、「構成概念」なる呼称が与えられたのである。

宇宙線の写真、あるいはウィルソンの霧箱の写真、あるいは加速器のなかで起こる現象、化学的な反応、電気的な現象……そうしたさまざまな現象——実は、そうした「現象」と呼ばれるものが、すでに、いろいろな物理・化学的な理論を先取りしており、したがって、素粒子を「構成」するのは、強いて言えば「現象」そのものではなく、むしろそうした理論系自体なのであるが——を、整合的、統一的に説明しようとすると、素粒子という概念が必然的に必要となる、という言い方を、「こころ」の場合にも当てはめてみることはできないであろうか。

彼は今、「腹が減った」と口走った。彼は今つまみ食いをしている。彼はごちそうの皿に熱い視線を走らせ、ごくりと唾を呑み込んだ。これらはそれぞれ「現象」と言えよう。では、これらの「現象」を整合的かつ統一的に説明するためには、「彼の空腹さ」を前提にすればよいではないか。つまり、そうした現象が「彼の空腹さ」を構成しているとは言えないか。

しかし、こうした言い方は、少なくとも次のような点で破産するように私には思われる。素粒子が構成概念であるということは認めるとしよう。もっとも、私がすでに述べてきた考え方に従えば、すべての概念は、構成概念としての性格をもっているとも言えるのである。われわれは、ある視覚的体験を「一本のペン」という形で把握する。われわれにすでに「ペン」なる概念が与えられていて、初めて、われわれは、ある視覚体験を「一本のペン」として把握する。概念は視覚体験を超えるものであり、しかも視覚体験を束縛するものであった。さまざまな「ペン」を巡る「現象」や「法則」や「習慣」や「記憶」などが、「ペン」という概念を構成しているという言い方は、それゆえ、それほど奇嬌ではない。実際のところ、「ペン」という概念を、われわれは見ることはできないのである。

けれども「空腹さ」は、概念なのであろうか。たしかに、私は、ある自分の体験する感覚を「空腹」と呼べるためには、「空腹」という言葉の用法を学ばなければならない。それは、どのような状況のもとで、どのような文脈で、「私は一本のペンを見る」ということが言えるのか、という局面で起こっていることによく似ている。しかし、少なくとも「自分の空腹さ」について言う限りは、それは、自分の外に何らの対象ももたないある種の感覚そのものである。それは、自分の表情や、自分の振舞いや、自分の発することばから構成されたものではけっしてない。

と同時に、「他人の空腹さ」について言えば、われわれは、その人の仕草や発することばや表情のすべてから、その人の「空腹さ」を構成したとしてもなお、実は、その「空腹さ」は、素粒子の場合のように、何ら公共的な概念になったわけではない。その「空腹さ」はその人のこころについての言表ではあっても、「空腹さ」ということばの用法を知っている人びとに共通の何ものかについての言表にはならない。その証拠には、その人が極めて熟達した俳優であれば、いかにわれわれが、その人についてのさまざまな現象から、その人の「空腹さ」を構成したとしても、その人は自分が「空腹さ」を感じていないことを確認している、という事態は充分考え得るからである。

自分の「こころ」と他人

そこで多くの場合、他人の「こころ」は、自分の「こころ」の類推である、と考えられることになる。私は、「私の空腹さ」を端的にただ、知っていると言える。徹底的な私秘性のゆえに、いかなる人にとっても知り得ない「私の空腹さ」は、逆にそれなるがゆえに、私にとっては絶対である。

さて、私が、私にとって絶対的である「私の空腹さ」を感じているときに、私は、その表現としていかなる外的現象を呈しているであろうか。私はそのとき、「腹が減った」と言い、ごちそうの皿を見て生唾を呑み込んだ。ゆえに彼もまた、私が「腹が減った」と言い、ごちそうの皿を見て生唾を呑み込む。さて彼は今、「腹が減った」と言い、ごちそうの皿を見て生唾を呑み込んだときに感じていたと同じ種類の「空腹さ」を感じているに違いない。

実際のところ、このような議論は、かならずしも間違っているわけではない。自分の感じている「空腹さ」を他人に類推で当てはめる、という手続きは、人間どうしの間の共感とか同情などという面のみならず、他の動物の行動や表情や仕草の束に対しても、しばしば採用される。もっとも動物行動学では、すべての研究者がこの手続きを採用することを認めているわけではない。たとえば、アンソニー・バーネット（一九一五―二〇〇三）という動物行動学者は、動物の行動を描写するに際して、いっさいの「人間的」な要素を排除しようと試みる。いや、次の言葉を読めばバーネットが、人間からさえ「人間的」な要素を排除したがっていることが判る。

自発的行動という概念や、精神という観念さえも、それらをすべてぬぐい去ってしまうだけでは十分でない。……もし「精神」や「意志」といった慣習的な観念がこのようにして捨てられるなら、そして「意識」を変形し得るなら、素人は疎外感を味わうかもしれない。……しかし知識が進むにつれて、それらは困難を伴いながらも、次第に捨てられていく（アンソニー・バーネット『動物とヒトの行動 2』伊谷純一郎・西田利貞・秋鹿祐輔訳、みすず書房、一九七一、三八八―三九〇頁、少し改変してある）。

人間の「こころ」が捨てられていくかどうかについてはここでは論じない。ただ、このバーネットの言葉のなかには、人間的要素（ここではそれは「こころ」として定義し得るものであろう）を動物に関する記述から禁欲的に排除しようとする強烈な意志が表現されているという点は確かである。

だが、ノーベル賞を受けた動物行動学者の一人コンラート・ローレンツ（一九〇三―八九）は、動物を人間的に扱うことにまったく躊躇しようとはしない。そして、その動物を

「人間的に扱う」ことの意味は、動物の行動や表情や仕草と、人間のそれとの類推から、人間一般については通常認められている「こころ」を、動物に投影しようとするところにある。

このローレンツの場合は、人間一般から他の動物への類推であったが、われわれの問題に立ち戻ってみれば、同じことが、「私」と「人間一般」について言えるのではないか、と考えることは、強《あなが》ち非合理とは言えまい。つまり、「私のこころ」を「人間一般」としての他人に投影する、という手続きが、そこで採用されていると考えてもよいのではなかろうか。

だが、この点については、次のような指摘が可能になろう。「私の空腹さ」を私が感じているときに、私がどのような外的表現をとっているかを、私はどこまで知っているであろうか。私は、本当に、私が「私の空腹さ」を感じているときに私が表わすさまざまな外的表現を予《あらかじ》め知っており、そして他人の仕草や表情や発語のなかにそれと同じものを認めたうえで、その他人の上に「私の空腹さ」を投影するのであろうか。

むしろ、私は、他人の仕草や表情や発話行為のなかに、自分が「空腹さ」を感じているときに自分がいかなる仕草をし、いかなる表情を見せ、いかなる発話行為を行なっているか、ということを知るのではなかろうか。人間の表情や仕草や発話行為が、先ず、他人のそれの真似から始まる、という事実は、その指摘の正しさの一つの証左となるように私には思われる。

言い換えると、「私が空腹を感じている」ときの私の外的状態は、むしろ他人の外的状態の投影でさえあるかもしれないのだ。そして、この点をもう少し推し進めると、自分にとって絶対的と思われた自分の「こころ」さえも、実は、他人のそれの投影であるのではないかとさえ思えてくる。

われわれは、自分の「こころ」は自分が最もよく知っていると考えている。事実、これまで見てきたように、自分の「こころ」は、原理的に自分以外の人間が知ることはけっしてできないはずである。だが、それにもかかわらず、私は自分の「こころ」をつねに知っているとは限らない。

フロイトは、人間の感情をつねに「複合」《complex》として把えた。そこでは、自分がそれと意識している感情には、つねにその裏返しの、意識されない感情が複合されていることが主張されている。私の無意識の世界は、その語義上、私といえどもこれを知ることはできない。しかも、われわれはしばしば、原理的に把えられないはずの他人の「こころ」や、その裏返しであってその人には「こころ」でさえない（つまり「無意識」である）ものを
も、把えることがある。これは、いわゆる精神分析医に最も典型的に見ることができるが、しかしそれは何も玄人《くろうと》の精神分析医に限ったことではない。

そして、そういう形で、他人の「こころ」や、「こころ」の裏にあるものを見てとることにおいて、初めて自分の「こころ」のあるものに気づかされる、ということもしばしば起こ

る。他人の仕草や表情の裏に、その人の「こころ」の動きとしての卑しさや醜さを見、そしてその瞬間に、自分では気づいていなかった自分の「こころ」の卑しさや醜さをはっきりと把える、という経験は誰しももっていよう。

もとよりそのとき見たと思った他人の「こころ」の卑しさや醜さが、本当にその人の卑しいこころや醜いこころであるのかどうか、それはまったく判らない。にもかかわらず、なのである。私は、他人の「こころ」によって、自分の「こころ」を知ることがある、という事実は否定できない。

いや、むしろ、自分が自分の「こころ」を分析し、自分の「こころ」を自分で知る、という作業は、他人の「こころ」からの類推——という表現を使えるとすれば——によって果たされるのではないか。

そうなのである。

絶対確実であると思われた「自分のこころ」が、原理的に不確実でしかない「他人のこころ」によって初めて成立するものであるとしたら、このパラドクスは、どのように解けばよいのであろうか。

もしこの言い方が行き過ぎであるならば、少なくとも次のようには言えるだろう。「私のこころ」は、「他人のこころ」として他人に投影されるにしても、また同時に「他人のこころ」は「私のこころ」にも投影されるのであって、その相互のダイナミックスによって「こころ」は初めて把えられるものとなるのではないか。そしてこの言い方のなかにさえ、「こころ」の存在を認める手続きが、単に、先に述べたような、自分の「こころ」の他への類推である、という論点の不充分さは、明確になっていると思われる。

人間の「こころ」の特殊性

人間が、社会の成員となるまでに生まれてから経過する時間は、他の高等動物に比べて断然長いと言える。一人の人間が、一人の人間として認められるには、単に生物学的に、つまり性的に成熟するだけでは足りない。もちろん、単に性的に成熟するまでの時間だけを比べても、人間の場合は、けっして短いとは言えないだろう。けれども人間が「一人前」に成熟するためには、その生涯の四分の一以上を費やさなければならないということは、人間存在のもつ生物学的に大きな特徴と言えるだろう。

人間は他の動物に比べて早く生まれすぎる、という言い方もできるかもしれない。これを裏から見れば、生物種としての生物学的な共通性は、そういう形で早い時期に生まれるまでに現われるのであって、そのあと成人するまでの比較的長い時間は、社会的、文化的なパターンを身につけるために費やされる。したがって人間が成人として成熟するまでに体験するさまざまな状況は、まったく千差万別であって、もちろんそのなかで、社会に共通な行動パターンが学ばれるわけであり、つまりそうして学ばれた共通な行動パターンは、人間の場合には、生物学的に決定されている部分のほかに、後天的に、人間の「種」としての共通性を保証する――その意味では、人間における「種」は、生物学的に決定されている側面に、こうして社会的、文化的に決定されている側面を加えて初めて充全な概念になるとも言えよう――わけであるが、それと同時に、そのような千差万別な体験の歴史は、それぞれの個人に、一回限りの絶対的個別性を賦与することになるわけである。

それは、かならずしも自分が自分を完全に把握しているとは言えないという事態と矛盾はしない。そうした一回限りの二度と繰り返されることのない過去のすべてを背負った存在としての人間は、しかし、その過去の体験をすべて自覚し意識しているとは限らないことは明らかである。

そして、そうした過去の歴史のなかに潜むさまざまな潜在的な意識を、他人のこころのなかに探し出すことによって、顕在的な意識の世界へと移すことはあり得る。逆に、自分のこころのなかにあるものを見出して、自分の潜在的意識を顕在化することもあり得る。

つまりわれわれは、生まれおちてから成熟するまでの間に、他の人間（のこころ）を認識することによって自分のこころを知り、その社会の成員として「人間」になると同時に、「自分」となる。

その意味で、自分とは、自分自身でありながら、自分だけの作品ではない。自分のこころは、デカルトの言うごとく、自分の存在の証しであるにせよ、しかも、すでに「人間」として存在している他の人間たちのこころを前提として造り上げられたものである。こころは、どのような形であれそれを証明しようと試みることも他人に対しては、不可能であり、同時に、自分に対しては、いかなる形での証明も不必要であるほど自明である。それにもかかわらず、自分のこころは、他人のこころを前提として初めて成立しているところがあり、そして自分のこころは、自分にとってつねに自明というわけではない。

この事実は、二つの重大な論点を提供している。その第一は、われわれは、自分のこころという最も根本的な場面で、どのような形でも経験的に証拠立てることができない何ものかに立脚している——あるいは少なくとも一部依存している——ということである。

われわれは、素粒子については、科学理論のネットワークをもって、経験的にいかなる手段を使ってもその存在を直接証拠立てることができないにもかかわらず、その存在を認めている。同様に、心室中隔の小孔については、われわれのもつ科学理論のネットワークをもって、経験的にいかなる手段を使ってもその存在を直接証拠立てることができないがゆえに、その存在を認めないことになる。

こころについては少し事情が違っていた。われわれは、自分自身のこころについては、その存在を証拠立てる必要もないのであって、経験的に熟知しており、一方他人のこころについては、いかなる経験的な手法を使っても直接その存在を証拠立てることができないが、常識的には他人のこころの存在を認めており、哲学的にぎりぎりまで問い詰めたときにはその存在を認めはしない。しかも奇妙なことに、自分のこころは、そうした他人のこころを、少なくとも部分的には前提として、成立する。

したがって、直接経験的手段によってその存在を証拠立てることができない何ものかについて、われわれがその存在を認めるか否かは、かならずしも論理的に整合的な解答を与えているとは言い難いのである。それゆえ、ここでもう一言付け加えれば、直接経験的な手段によってその存在を証拠立てることができない「神」の存在を認めるかどうかについても、かならずしも論理的な整合性を求めることは必然的ではないのである。

第二の点は項を改めよう。

こころの普遍化への二つの方法

前項で述べたように、こころは、自分自身にとって明晰であると同時に、他人のこころの存在を前提としていた。そこには、存在の経験的な証拠立てとは違った手続きによってこころの存在が認められていたと言えよう。いや、何らかの手続きによって、というよりは、そこにはある構造が働いた結果として、こころが存在していたと考えてもよい。

その構造には、どのようなものがあるのか、ということが、第二の大切な問題点となろう。

そうした構造を巡る説明の一つとしては、カール・グスタフ・ユング（一八七五―一九六一）の考え方が示唆的である。ユングは、フロイトの流れを汲んで、人間の意識の世界の下に無意識の世界を想定する。しかし、ユングの無意識の世界は、単に人間個人の領域にとどまらない。彼の言う「集団的無意識」《collective unconsciousness》は、人間どうしが、そうした無意識の部分では相互に連なっていることを主張しようとして導入されたものであると言ってよい。

もちろんこの論理を推し進めると、そうした「集団的無意識」を人間に限定する根拠はないことに気づかされる。事実、ユングは、さらに無意識の世界をより根元的な方向へ下ると、そこには、生きとし生けるもののすべてが共有している、いやむしろ共通の基盤としている無意識の世界があるとさえ言うのである。

たしかにわれわれは、生命体なるものに、明確な定義を与えようとすると非常に大きな困難に出会うにもかかわらず、生命体と非生命体とを直観的に区別する。生命現象を、分析的に定義しようとすれば、物質交代、自己複写能力、成長、進化などを指摘できよう。しかし、そういう特徴を備えた現象は、無機的な世界でもたちどころにいくつか挙げることができる。物質交代にはローソクの焔《ほのお》を、自己複写にはたとえば結晶の生成を、成長には石筍を、進化には地形や山脈の変化などを類推として考えることが可能である。

しかもわれわれは、細胞を基調とする生命体がもつある種の特異性を、そうした分析的な一つ一つの特徴とは別箇に、直観的に把握しているように思われる。それは過去に、生命の本質を巡って、繰り返し繰り返し、いわゆる「生気論」や「全体論」が現われてきていることを見ても明らかであろう。生気論や全体論が現実にいかに稔りの少ないものであっても、単なる戦略としてではなく、それが人間の思考様式の根元的な深みに由来しているとすれば、人間は、こころをもつ存在を、いのちをもつ存在と読み換えつつ、それらと存在の根底的な場面で相互に繋がっているからこそ、いのちあるものを、そうでないものから区別する直覚を備えているのだ、という考え方は、かならずしも突飛ではない。

あたかも海面上に姿を現わしている氷山が、それぞれ一つ一つの孤立した山のように見えながら、その実、海面下では巨大な氷盤によって繫がっている如く、人間どうしも、一見、一人一人の個人が切り離され孤立した個体のようでありながら、その実、無意識の世界では一つの巨大な「集団的無意識」によって、繫がっている（あるいは、それをさらに敷衍《ふえん》して、生命あるものすべてが、より根元的な「集団的無意識」の世界では繫がっている、と言えるのかもしれないが）というユングの指摘は、人間が、個体として眺める限りにおいて、論理的に、こころを共にすることが不可能であるにもかかわらず、しかも、自分のこころだけは自分にとって何らの媒介や立証も必要とせずに自明のものとしてあるにもかかわらず、実は、自分のこころは、他人のこころを前提として初めて成り立つ、という一種の矛盾を説明する一つの方法を提示してくれるようにも思われる。

このような発想法は、言わば、氷山の比喩を使えば、氷山のピークからその基底をなす氷盤へ向かって下へ下へと下降する方向を伴っており、そして、そこに人間や生物界、ひいてはこの全宇宙の「共感」を求めようとする点において、東洋的（という形容詞は、本来は、厳しい吟味を必要とするが、ここでは常識的な意味で使っておく）な考え方に並行する面を多く含んでいるとも言える。

しかし、人間の人間としての（「人としての」ではなく）存在を説明するための方法はこのように個人としての人間を、その基盤にまで下降しようとする方向だけとは限らない。ちょうどこの逆に、上昇方向においても説明する方式がないわけではない。

氷山をピークのほうに上昇すれば、人間の個別化は、より進むばかりではないか。どこに他人のこころとの共融点を求めることができるのか。

この疑問はそれなりにもっともであろう。だが、この上昇志向において、人間の「人間」たるところを説明する方法がただ一つあるのである。そして、それがキリスト教的な発想法を暗示していると考えることができる。

たしかに、氷山をピークに向かって上昇すれば、ピークに達したあとは、漠たる空間が拡がるのみである。どこにも「共融点」はありはしない。だがもしそこに、すべての「こころ」の根元を設定したものがあるとすればどうなるか。それを「神」と呼ぶにせよ、呼ばないにせよ、われわれ自身の存立の基盤を、自らの下に拡がる何ものかに委ねる代わりに、自らの上に存在する何ものかに委ねるとすればどうなるか。

呼び名のないことは何かと不便なのでそれを神と名づけておくことにしよう。この言葉ほど人を躓《つまず》かせる内包をもっているものはないが、あえてここではそうしておく。個人をピークに向かって上昇する、その各個人の上昇線すべての延長上に神を望み見たとしよう。そうした各個人が、ピークへ向かえば向かうほど、個人は孤立化し、他の人間とは切り離されていく、しかしその孤立化の極限の彼方に、空間を飛び越した彼方に、すべての人間の「こころ」の根元があり、そこに共融点があるとすればどうだろうか。

各個人のピークへ向かう射線は、神を交点としており、各射線は神を鏡として折り返されており、神を媒介として、すべての射線は連なっている、という状況を想像してみることができる。そこでは各個人はあくまで個人として孤立しながら、その孤立することにおいてまさしくその瞬間に、他の人間を、こころあるものとして認め、また逆に、こころある存在を知ることを通じて、自らのこころを知るという構造がそこにはある。

実際、ヨーロッパ近代の個我の確立とそれに伴う人間共通の根元的基盤の喪失という事態において、人間という共通の感覚を辛うじて支えていたのは、やはりそうした神における交点、共融点が保証されている、という確信であったと思われる。

このような構造のなかでは、人間は、先の下降方向を備えた構造の場合では、各個我の境界が次第に曖昧になり、しかも自我の意識自体も不明瞭になり曖昧になっていく過程のなかで、相互の共融面が現われてくるのに反して、確固たる個我の意識の彼方に共融点が見出されることになる。

西欧近代の歴史の経過は、もとより、ここに述べた様式とは逆の方向を辿っていたと考えたほうが真相に近かろう。個我のピークを追った結果として神に辿りついたというよりは、人間共通の、個我の曖昧な境界の状況から出発し、神による保証が確保されていたがゆえに、安心して、上昇方向をぎりぎりまで追究し得た、できる限り孤立した個我のピークまで登りつめることができた、と考えたほうが、歴史的状況には適《かな》っていよう。

しかし、そうした歴史的経過を度外視して言えば、人間が人間として存在するという存在の様式自体のなかに、神の存在を必然的に必要とするという構造が組み込まれている、と考えることが、けっして無理ではなく、そこにあらゆる意味で相対的な存在としての人間が、相対性の対概念としての絶対なるものを知っている、ということの根拠もあるとも言えるのではなかろうか。

科学的知識において、われわれは、経験がその確実性を保証してくれる、ということに限界があることを明らかにした。何かが存在している、という言い方、例えば素粒子が存在している、という言い方は、直接的な経験によって保証されることなく認められていることが明らかになった。しかも、それを認めるための構造は、われわれが今構築している科学的知識のための有機的な理論のネットワーク全体に依存しており、そのネットワークは、つねに確固としたものではなく、しばしばその有機的な構築が、ガラリと変革することさえある、という意味では、極めて相対的な性質を帯びている。

それだけではなかった。科学的知識と言わず、常識的な知識においてさえも、事態は変わらなかった。ここにペンが存在する、という言い方自体も、また、同じように人間の側の共通な枠組を抜きにして、成立することはできない、ということが明らかにされた。常識的な場面における共通の枠組なるものは、科学的知識におけるそうした理論のネットワークがガラリと変わるように非連続的に変わるわけではない。連続的に、ゆっくりりと変わるだけである。それにしても、それもまた、変わることにかわりはない。絶対的と呼ぶわけにはいかないのである。

そこで、われわれは、そうした人間の共通の枠組の局面を構成する「こころ」の世界へと関心の方向を移してみた。

こころの世界は、非常に奇妙な性格を備えていた。他人のこころについて言えば、それは、いかなる手段を用いてもその存在を認めるための保証を得ることが原理的に不可能なものであった。一方自分のこころについて言えば、それは、いかなる手段を用いることもなく、その存在を確認できるようなものであった。もしこの二つを同じ「こころ」という語で呼ぶとすれば、これは、素粒子の存在とも、ペンの存在とも違う新しい事態であった。

しかもその新しい事態のなかで、さらにことは面倒になった。絶対確実と思われた自分のこころ自体が、それ自身で存在するものではなかった。絶対に証明されるはずのない他人のこころの存在を前提として、初めて自分のこころは、自分のこころとなる、という逆説的な状況がそこにあった。

科学的実在と呼ばれるものが、われわれのもつ、科学的な理論のネットワークのなかで初めてその存在を認められるものであり、常識的な存在が、われわれの共有する常識的な知識の有機的なネットワークのなかで初めてその存在を認められるものであるという前例に従えば、こころという常識的なものの存在は、やはり、われわれの共有する常識的な知識の有機的なネットワークのなかで、その存在を認められなければならなくなる。

そこで、二通りの途が示された。一つは、人間の存在を下へ向かって下降する途であった。そこでは、人間からすべての生物へ、そして自然全体に向かって融合する、言わば拡散のなかでの人間存在の確認の構造があった。もう一つの途は、人間の個体化、孤立化を究極まで推し進めるために上方へ昇りつめる方向であった。そしてその究極のかなたにすべてのこころの源としての共融点である神が見据えられた。

歴史的に見れば、近代ヨーロッパでは、この二つの途の融合が見られたことが指摘される。いわゆる理神論がそれである。理神論では、神は自然そのものであって、ちょうど上述のように、下降傾向を最下端まで下ったときに現われる自然全体と、上昇傾向の究極端に望見される神とは、直線の両端がそれを円に繋ぐことによって一致するのと同じように、一致すると考えられている。

しかし、ここでは、やはりこの二つの傾向は区別しておきたい。どちらの傾向をとるか、それはもちろん論理的な説得力で定まるものではない。地球上に存在する相当数の人間が、意識的、無意識的に、この二つの傾向のどちらか一方をとっている、という事実は指摘できるにしても、どちらがより正しいとは言えないだろう。

ただ、上昇傾向を考えたときに、われわれは、徹底した相対主義を貫くことにおいて、その究極に、絶対を見据えることができる、ということだけは指摘できる。これまで述べた考え方に従えば、人間によって把えられるいかなる知識も、絶対的な客観性を主張し得ないことは明らかであろう。その意味で、真理は、人為依存的である。

たとえば、すでに触れた「死後の世界」の問題に戻ってみよう。人間は誰も「死後の世界」を知らない。もし経験的に直接それを知覚するということを何ものかが存在することの判定基準としてとるとすれば、これほど明白にその存在が万人に認められ得ないものはあり得ない。客観性はまったく保証されないはずである。しかし、常識はその存在を確信しきっている。それはむしろ信頼もしくは信仰と言ってよい。

別の言い方をすれば、自分が死んだ世界の存在を認めること、あるいはそれを敷衍して、すべての人間が死に絶えたあとの世界の存在を認めることは、神の眼から見た世界を認めることでもある。もちろん、それを「神の眼」と見るか、別の何かの眼と見るか、それは立場によろう。しかし少なくともそれが、「人間の眼」という相対的な性格のものでないことだけは確かである。

あるいは、時間の問題を考えてみよう。ここで詳しく論じることはできないが、どんな変化を見てとるにせよ、その裏に、つねに一方方向に流れ続ける時間を前提としなければならないことは、どうやら避けがたい。しかもそれは、各個人の主観のなかでの相対的な時間というよりは、すべてのそうした主観的な時間の外側に設定された神の眼のなかでの時間とでも言うべきものである。ある人はそれを「アエヴム」すなわち「天使の時間」とも呼ぶ。

こうして考えてみれば、人間の知識の基本的なあらゆる場面に、こうした一種の絶対的な立場あるいは視座、つまり相対的な人間の立場を超越した視座が、姿を現わしていることが、それほど無理なく理解されるであろう。その最も根底的な場面が、先に挙げた人間存在のそれだったと言えよう。

すでに述べたように、それを神に帰するかどうか、それはかならずしも自明ではない。ただ、次のような点だけは言ってもよいのではないだろうか。信仰という人間の営みは、合理的な精神活動とはまったく別箇の、特殊で神秘的な人間の側面だと看做す視方がある。私は、後に見るように、その点を完全に否定しようとは思わない。しかし、合理的な精神活動の結果と考えられている科学的知識体系にも、あるいは常識的な知識体系にも、通常の意味での経験的側面や論理的側面があるばかりではなく、いっさいの経験や論理や合理的価値基準などを超えたさまざまな場面での「信じる」という基本前提が不可欠であることは、これまでの記述である程度明らかになったのではなかろうか。

もしそれが正しいとすれば、われわれは、合理的な精神活動と信仰という営為との間の双極化を、信仰そのものの否定という立場から推し進める根拠をもってはいない、と言わざるを得ない。

もちろん、そうは言ったからといって、それだけで、信仰という営為を積極的に認めたり、あるいは他人に対して信仰をたとえ説得によってにせよ強制したりすることはできないし、信仰をもつ人が、自分の信仰の根拠づけとしてその議論を応用することさえできないのである。

信仰とは、何らかの根拠づけによって、もったりもたなかったりするものではない。むしろそれはすべてのことがらの根拠づけにはなり得てもそれ自体としては何らの根拠づけも必要でないような性格の、人間の営為と言わなければなるまい。

そして、それゆえにこそ信仰は、人間が自分自身何らかの合理化によって得られる境地を超えて、すなわち、本質的に相対的な判断基準や価値基準からの「選択」という場面を超えて、絶対的なものからの「呼びかけ」を必要とする、という考え方が、充分な妥当性をもつことにもなる。

先に、信仰には、神秘的、非合理的な側面がないわけではない、と言ったのはその点を考慮したためである。それはまさしく絶対的なものからの啓示の光に照射される、とでも表現する以外にはないような一面であろう。それはいかような手段によっても合理化できないものである。

しかし、通常の意味ではそうした営みの対極にあると考えられている科学的知識や常識的知識のなかにも、実はその前提としては、そうした信仰と紙一重の形での前提が必要とされている、ということは、少なくとも「合理性」と「非合理性」、「理性」と「信仰」、といった通常の形での対極化、双極化が、けっして常識的場面で言われるほど自明な立脚点をもってはいないことを示している。その点に対する再検討を促す緒《いとぐち》だけは、これまでに述べてきたことで付けられたと考えてはいけないだろうか。

あとがき

かつて私が上智大学に職を奉じていたとき、「現代とキリスト教」という標題のオムニバス講義に参加したことがあった。オムニバス講義というのは、一年間二十数回の講義を何人かの教師が分担して担当するもので、同一テーマの下に複数の講師がさまざまな角度から多角的に論じることができるように考案されたものである。私はその講義で、この書物の第Ⅱ部で語られている内容の一部を話した。三回の私の担当分が終わるとき、私は学生たちの質問や意見を求めた。当時は、学生の教師に対する反応の仕方は、今よりはるかに積極的かつ活潑であって、そのときも、何人かの学生が質問に立ち、また意見を陳《の》べてくれた。しかしなかで一人の学生の質問が私を困惑させた。

「先生の言われることはそれなりに尤もです。しかし、最後のところでは、神を信じる、ということは論理や説得などを受けつけないものではないでしょうか。私は神を信じた。ただそれだけです」。

これに対して私はこう答えざるを得なかった。

「たしかにその通りだ。しかしそう言ってしまっては、今まで何時間も私は無駄なことを話してきたことになってしまう。実際それはそうなのだが……」。

これはかならずしも、若い学生にありがちな生意気さの発露——それもなかったわけではなかろうが——だけではなかった。信仰について言葉で語ること、私はその空しさをもともと知っていたと言えるからである。

その私が、信仰の問題を題材に組み込んで一冊の書物を造ってみることを、第三文明社の佐々木利明氏から勧められたとき、私の戸惑いは大きかった。それを、何とかやってみようと思い立ったのは、もちろん佐々木氏の編集者としての熱意と勧め上手も与《あずか》って力はあったが、しかし、信仰という問題について通用しているある種の誤解だけは解いておきたいという願いが、私のなかに燃えていたからでもあった。

その誤解とは、私にとって二つの種類のものとして意識されていた。その一つは、文明史的に見たときのキリスト教と科学の双極化であった。キリスト教を、科学的真理の弾圧者として歴史のなかに仕立て上げるという一つの文明史の啓蒙主義的図式は、私にとってはやはり誤解としか思えなかった。そしてその点については、私はすでにいろいろな機会に、いろいろな形で論じてきた。本書の第I部に収められた二つの論文の原型である「科学・哲学・神学」（渡辺茂編『科学の役割』潮出版社、昭和四十八年所収）と「キリスト教批判の現代的意義——その自然観と時間軸の構造」（雑誌『情況』昭和四十八年八月号所収）も、そうした試みの一つである。

もう一つの誤解は、文明史のなかでのキリスト教と科学の双極化とある面では平行する、人間の営為としての知的活動と信仰との双極化の問題であった。この問題は、文明史的な立場とは異なって、必然的に、私自身の信仰の私的な場面に立ち入らざるを得ない側面をもっているがゆえに、そして私は前述のようにそれを言葉によって語ることの空しさを知らされているがゆえに、ほとんどこれまで語ってきた過去をもたない。

この問題に立ち入るとすれば、それゆえ必然的に書き下しが求められ、しかも、自ら空しさを知ることをあえて行うという立場を自分に強要しなければならなかった。事実この書き下しは、苦渋に満ちたものであった。何回も書いては捨て、書いては破った。ここに活字にすることになったものも、自らけっして意に満ちたものではない。それを公けにしなければならないことは、ある意味では残念だし、読んで下さる方にも申訳けない。

いずれにせよ本書での私は、私的な信仰告白に対し、できる限り禁欲的であることになった。たしかに私は、何はともあれ、ローマ・カトリック教会の一員である。しかし、その私の私的な信仰の立場は、本書ではできる限り前提として立てることはしなかった。本書は決して一つの信仰の立場を優れたものと断定するものでもなければ、そこへ他人を勧誘するものでもない。私が本書で意図したのは、個人がいかなる信仰をもつにせよもたないにせよ、その信仰より以前に考えておくべき点を明らかにすることであった。少なくとも前述の二つの誤解は解いておきたかった。それゆえ本書の第Ⅰ部は第一の誤解の払拭に、第Ⅱ部は第二の誤解のそれに向けられたものである。その意図がどこまで果たされたか、それは読者の方々の御判断に俟《ま》つ以外にはない。

本書の筆は先に述べたように遅々として進まなかった。それゆえ、佐々木氏との約束の期日を二ヵ月近く上廻ってしまった。迷惑をかけたことをお詫びするとともに、終始励ましつつ本書の完成に努力された佐々木氏にお礼を言いたい。

昭和五十一年十一月

村上陽一郎

学術文庫のためのあとがき

旧版を世に送ってから半世紀近くが経過した。この度、前々からお世話になってきた講談社学術文庫に改版所収というお申し出を戴いた。果たしてその価値があるか、という自問がないではなかったが、科学の歴史、科学の哲学的考察に加えて、宗教、あるいは信仰と科学との間柄をどう捉えるべきか、という問題に、主題的に取り組んだ、一般の読者向けの書物として、自分でもすこし特別の位置に置くべき書物であったので、有難くお申し出をお受けすることにした。もっとも、科学とキリスト教との関係についての歴史的な考察は、これまでの私のメインの主題であり続けてきた。ただ、「他人のこころ」という哲学における積年の問題を土台に、人間を越えた存在に向かって眼差しを据える、という方法での考察は、私の仕事のなかでは、本書以外にはほとんどない。

しかし、今この主題で一冊の書物を書くとしたら、必ずしも同じ構成にはならないかもしれない、という想いはある。ただ、内容に関しては、本質的に書き改めるべきものはない、と言ったら、傲慢の誹りを受けるか、自分の進歩の無さの証となるのだろうか。

いずれにしても、長らく休眠していた本書に、新たな陽の目を見せて下さった学術文庫編集部には、感謝の言葉しかないし、途中から、ウイルス禍が始まって、困難な時期の最中となった改版編集の業務に、親身になって取り組んで下さった担当者の方々に心から有難うを記したい。ウイルス禍に、楽観的な展望が見られない現在、何とか明るい方向に世界が向かうことを祈りつつ。

令和三年　年初めに

村上陽一郎

KODANSHA

本書の原本『科学・哲学・信仰』は、一九七七年に
第三文明社から刊行されました。

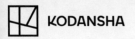

村上陽一郎（むらかみ　よういちろう）

1936年東京生まれ。東京大学教養学部教養学科卒。同大学大学院人文科学研究科博士課程満期退学。東京大学名誉教授，国際基督教大学名誉教授。現在，豊田工業大学次世代文明センター長。主な著書に『近代科学と聖俗革命』，『科学と日常性の文脈』，『時間の科学』，『ペスト大流行』など。講談社学術文庫に『近代科学を超えて』，『奇跡を考える』，『日本近代科学史』など多数。

講談社学術文庫

定価はカバーに表示してあります。

科学史《かがくし》・科学哲学入門《かがくてつがくにゅうもん》

村上陽一郎《むらかみよういちろう》

2021年3月9日　第1刷発行
2023年4月24日　第4刷発行

発行者　鈴木章一
発行所　株式会社講談社
東京都文京区音羽 2-12-21 〒112-8001
電話　編集（03）5395-3512
販売（03）5395-4415
業務（03）5395-3615

装　幀　蟹江征治
印　刷　株式会社ＫＰＳプロダクツ
製　本　株式会社国宝社
本文データ制作　講談社デジタル製作

ISBN978-4-06-522839-5

「講談社学術文庫」の刊行に当たって

これは、学術をポケットに入れることをモットーとして生まれた文庫である。学術は少年の心を養い、成年の心を満たす。その学術がポケットにはいる形で、万人のものになることは、生涯教育をうたう現代の理想である。

こうした考え方は、学術を巨大な城のように見る世間の常識に反するかもしれない。また、一部の人たちからは、学術の権威をおとすものと非難されるかもしれない。しかし、それはいずれも学術の新しい在り方を解しないものといわざるをえない。

学術は、まず魔術への挑戦から始まった。やがて、いわゆる常識をつぎつぎに改めていった。学術の権威は、幾百年、幾千年にわたる、苦しい戦いの成果である。こうしてきずきあげられた城が、一見して近づきがたいものにうつるのは、そのためである。しかし、学術の権威を、その形の上だけで判断してはならない。その生成のあとをかえりみれば、その根は常に人々の生活の中にあった。学術が大きな力たりうるのはそのためであって、生活をはなれた学術は、どこにもない。

開かれた社会といわれる現代にとって、これはまったく自明である。生活と学術との間に、もし距離があるとすれば、何をおいてもこれを埋めねばならない。もしこの距離が形の上の迷信からきているとすれば、その迷信をうち破らねばならぬ。

学術文庫は、内外の迷信を打破し、学術のために新しい天地をひらく意図をもって生まれた。文庫という小さい形と、学術という壮大な城とが、完全に両立するためには、なおいくらかの時を必要とするであろう。しかし、学術をポケットにした社会が、人間の生活にとってより豊かな社会であることは、たしかである。そうした社会の実現のために、文庫の世界に新しいジャンルを加えることができれば幸いである。

一九七六年六月　　野間省一

自然科学

村上陽一郎著
近代科学を超えて
クーンのパラダイム論をふまえた科学理論発展の構造を分析。科学の歴史的考察と構造論的考察から、科学史と科学哲学の交叉するところに、科学の進むべき新しい道をひらいた気鋭の著者の画期的科学論である。

764

森　毅著
数学の歴史
数学はどのように生まれどう発展してきたか。数学史を単なる記号や理論の羅列とみなさず、あくまで人間の文化的な営みの一分野と捉えてその歩みを辿る。知的な挑発に富んだ、歯切れのよい万人向けの数学史。

844

森　毅著（解説・野崎昭弘）
数学的思考
「数学のできる子は頭がいい」か、それとも「数学などやる人間は頭がおかしい」か。ギリシア以来の数学的思考の歴史を一望。現代数学・学校教育の歪みを一刀両断。数学迷信を覆し、真の数理的思考を提示。

979

森　毅著（解説・村上陽一郎）
魔術から数学へ
西洋に展開する近代数学の成立劇。小数はどのように生まれたか、対数は、微積分は？　宗教戦争と錬金術が猖獗を極める十七世紀ヨーロッパでガリレイ、デカルト、ニュートンが演ずる数学誕生の数奇な物語。

996

池田清彦著
構造主義科学論の冒険
旧来の科学的真理を問直す卓抜な現代科学論。科学理論を唯一の真理として、とめどなく巨大化し、環境破壊などの破滅的状況をもたらした現代科学。多元主義にもとづく科学の未来を説く構造主義科学論の全容。

1332

杉田玄白著／酒井シヅ現代語訳（解説・小川鼎三）
新装版解体新書
日本で初めて翻訳された解剖図譜の現代語訳。オランダの解剖図譜『ターヘル・アナトミア』を玄白らが翻訳。日本における蘭学興隆のきっかけをなし、また近代医学の足掛りとなった古典的名著。全図版を付す。

1341